BROYDD CYMRU 14

Gorllewin Morgannwg

Dewi E. Lewis

Argraffiad cyntaf: Mai 2003

(h) *Dewi E. Lewis/Gwasg Carreg Gwalch*

Rhif Llyfr Safonol Rhyngwladol:
0-86381-831-5

Clawr: Smala, Caernarfon
Lluniau'r clawr: Bwrdd Croeso Cymru
Mapiau: Ken Gruffydd

Argraffwyd a chyhoeddwyd gan Wasg Carreg Gwalch,
12 Iard yr Orsaf, Llanrwst, LL26 0EH.
☎ *(01492) 642031* 🖷 *(01492) 641502*
e-bost: llyfrau@carreg-gwalch.co.uk
lle ar y we: www.carreg-gwalch.co.uk

Cynnwys

*Cyflwynedig i'r tri etifedd, Siôn, Gwion a Tomos
ac i gofio Mam,
Gwladys Lewis 1934-2002*

Teitlau eraill yn y gyfres:

Gair am y Gyfres

Bob blwyddyn bydd llinyn o Eisteddfodwyr a llygad y cyfryngau Cymreig yn troi i gyfeiriad dwy fro arbennig – bro Eisteddfod yr Urdd ar ddiwedd y gwanwyn a bro'r Eisteddfod Genedlaethol ynghanol yr haf.

Yn ogystal â rhoi cyfle i fwynhau'r cystadlu a'r cyfarfod, y seremonïau a'r sgwrsio, a'r diwylliant a'r dyrfa, mae'r eisteddfodau hyn yn cynnig llawer mwy na'r Maes yn unig. Yn naturiol, mae'r ardaloedd sy'n cynnig cartref i'r eisteddfodau yn rhoi lliw eu hanes a'u llên eu hunain ar y gweithgareddau, a bydd eisteddfodwyr yn dod i adnabod bro ac yn treulio amser yn crwydro'r fro wrth ymweld â'r gwyliau.

Ers tro mae bwlch ar ein silffoedd llyfrau Cymraeg am gyfres o arweinlyfrau neu gyfeirlyfrau hwylus a difyr sy'n portreadu gwahanol ardaloedd yng Nghymru i'r darllenwyr Cymraeg. Cafwyd clamp o gyfraniad gan yr hen gyfres *Crwydro'r Siroedd* ond bellach mae angen cyfres newydd, boblogaidd sy'n cyflwyno datblygiadau newydd i do newydd.

Dyma nod y gyfres hon – cyflwyno bro arbennig, ei phwysigrwydd ar lwybrau hanes, ei chyfraniad i ddiwylliant y genedl, ei phensaernïaeth, ei phobl a'i phrif ddiwydiannau, gyda'r prif bwyslais ar yr hyn sydd yno heddiw a'r mannau sydd o ddiddordeb i ymwelwyr, boed yn ystod yr Eisteddfod neu ar ôl hynny.

Cyflwyniad a Gair o Ddiolch

Tasg amhosib fyddai cyflwyno cyfrol gyflawn am y fro hon. Mae hi'n ardal sy'n llawn treftadaeth a chymeriad i'r fath raddau fel ei bod hi'n amhosib i un dyn lunio cyfrol gyflawn. Ond chwarae teg, nid dyna'r dasg a osodwyd i mi. Cyfle i agor cil y drws yw'r gyfrol hon; cyfle i ddechrau dod i adnabod y fro'n well. Rwy'n gobeithio bod y detholiad yma'n ddigon i ddadlennu rhywfaint ar gyfoeth a chronicl bywyd un cornel o'n gwlad. Rwy'n gobeithio hefyd y bydd y gyfrol fer hon yn ddigon i godi awydd i chi ymweld â hi ac i grwydro'n hamddenol ar hyd ei llwybrau a'i ffyrdd – boed hynny ar droed, ar gefn beic neu mewn cerbyd. Yn sicr os ydych am ymweld â'r ardal dros gyfnod o amser neu am y diwrnod yn unig, mae'r fro hon yn ganolbwynt i ddiwylliant, hanes a harddwch.

Rwyf am ddiolch i Myrddin ap Dafydd am y gwahoddiad i lunio'r gyfrol. Bu'r gwaith ymchwil yn gyfle i mi ymweld â sawl safle yr oeddwn yn gyfarwydd â hwy ond yn ogystal â hynny, bu'n gyfle i ymweld â sawl lle na fûm ynddynt erioed cyn hyn. Hoffwn ddiolch hefyd am y cyfle i ddarllen gweithiau awduron y gorffennol, a dylem ymfalchïo yn y ffaith fod gennym awduron lleol a chenedlaethol sydd wedi mynd ati i gofnodi nodweddion a hanes y fro a'i roi ar gof a chadw i'r oes a ddêl. Yn sicr, bu'n gyfle i mi werthfawrogi cymaint o hanes, diwylliant a threftadaeth sydd ar garreg y drws. Dysgais fod y fro hon yn fyw, a bod ei golygon tua'r dyfodol. Hoffwn

ddiolch hefyd i weithwyr brwd y wasg am eu hamynedd wrth aros i mi ddod â'r maen i'r wal.

Diolch hefyd i swyddogion y cynghorau lleol y cysylltais â hwy er mwyn cael gwybodaeth a manylion ar sawl agwedd o fywyd y fro. Diolch hefyd i swyddogion y Canolfannau Croeso yr ymwelais â hwy yn ardal Abertawe a Chastell-nedd/Port Talbot.

Mawr yw fy niolch i Nerys am 'oddef y llyfrgell symudol a'r tipyn pentwr o bamffledi a phapur' yn y tŷ dros gyfnod o fisoedd. Gwell hefyd i mi ddiolch i Mrs Doreen Hopkins, Y.Dd.D.N. am ymgymryd â dyletswyddau gwarchod tra'r oeddwn yn mwytho'r cyfrifiadur.

Yr Hinsawdd a'r Tywydd

Ar y cyfan, gellir disgrifio'r hinsawdd ar yr arfordir fel hinsawdd fwyn a gwlyb, ond i fyny ar yr ucheldir mae'n llawer mwy garw gyda chryn dipyn mwy o law a thymheredd oer yn ystod y gaeaf. Mae lefel y glaw a geir mewn blwyddyn ar gyfartaledd oddeutu 1100mm ar yr arfordir yn Abertawe, ac yn cynyddu i oddeutu 2400mm ar yr ucheldiroedd. Y misoedd gwlypaf yw'r misoedd rhwng Hydref ac Ionawr, a'r cyfnod sychaf yw'r misoedd rhwng Ebrill a Mehefin. Mae lleithder yr atmosffer oddeutu 80% ac mae lefelau ager yn isel iawn – yn enwedig yn ystod y gaeaf, sydd, yn ei dro'n arwain at lifeiriant sydyn yn y nentydd a'r afonydd. Amrywia'r tymheredd ar gyfartaledd o 5.3°C yn ystod mis Ionawr i 17°C yn ystod mis Awst. Ar gyfartaledd, gostynga'r tymheredd oddeutu 1°C bob 134m, sy'n adlewyrchu pa mor arw gall y tywydd fod ar yr ucheldir. Nodwedd amlwg o'r tywydd yn ystod y blynyddoedd diwethaf yw cryfder y gwynt, yn enwedig yn ardal y Mwmbwls; cofnodwyd gwyntoedd o naw deg chwech milltir yr awr yno yn ystod mis Hydref 2002. Mae Gŵyr yn mwynhau hinsawdd fwyn dros ben, a pheth prin iawn yw cael rhew mewn rhai ardaloedd. Manteisia'r ffermwyr ar yr hinsawdd fwyn er mwyn cynhyrchu cnydau cynnar, er enghraifft tatws newydd yn y gwanwyn a mefus yn yr haf.

Arwyddion Tywydd

Perthyn nifer o arwyddion tywydd i'r fro ac mewn rhai ardaloedd fe roddir pwyslais mawr arnynt fel arwyddion i ddarogan y tywydd.

Hindda

Mynydd yn glir a niwl yn y glyn.

Lleuad yn gorwedd fel ei bod yn dal dŵr – cyfnod sych.

Lleuad newydd yn cwpanu – fe ddeil y dŵr – tywydd sych.

> Lleuad newydd ar ei chefn
> Ni ddaw glaw i wlychu'th gefn.

Cochni ar chwâl ar hyd y gorwel adeg machlud – tywydd teg.

Mwg neu stêm o waith dur Port Talbot yn cael ei chwythu i'r gorllewin – haul.

Gwe'r corryn ar hyd y llwyni – tywydd ffein.

> Os daw gwynt o flaen y glaw
> Cwyd dy galon hindda ddaw.

> Os daw i fwrw gyda'r llanw
> Tyn dy got a rho i'w chadw.

Pan flodeua'r ddraenen wen – mae'r tymor rhew ar ben.

Glaw

Gwynt o'r de – glaw mân.

> Pan fyddo'r Fo'l Fynydda'
> Yn gwisgo'i chap yn fora
> Ti gei weld, cyn canol dydd
> Bydd ar 'i grudd ddagra.

> Glaw tinwyn Abertawe
> Tra phâr y dydd fe bara ynte.

Aroglau purfa olew Llandarsi o'r de – glaw cyn hir.

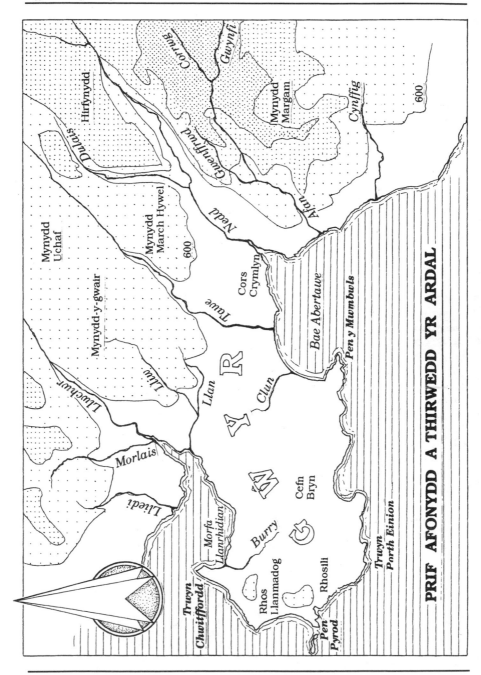

PRIF AFONYDD A THIRWEDD YR ARDAL

Glaw yn dod i lawr Cwm Tawe, bydd yn parhau am y dydd.

Pen Turcan (Pen Tri Charn) yn gwisgo'i gap – glaw.

Arfordir Gwlad yr Haf i'w weld yn glir – glaw.

Pen uchaf stac gwaith y Mond (Clydach) dan niwl, hwn i barhau am rai oriau eto.

Adeilad y DVLA o dan nudden – glaw yn dod lan Cwm Tawe.

> Pyst o dan yr haul nos a bore
> Tywydd garw gawn ar y gore.

Cymylau traeth *(autocumulus)* – glaw.

Enfys gyfan o gylch y lleuad – glaw (neu eira yn y gaeaf).

Arogl blodau yn gryf yn yr awyr cyn glaw.

Cochni'n crynhoi mewn un man adeg y machlud – glaw.

Gwaith dur Port Talbot yn goleuo'r cymylau am bellter yn y nos – glaw cyn y bore.

Mwg neu stêm o waith dur Port Talbot yn cael ei chwythu i'r dwyrain – glaw.

Cap ar Graig y Llyn – glaw.

Mulfran neu grychydd yn hedfan i fyny'r cwm gan ddilyn afon – glaw.

Tylluan yn hwtian gyda'r nos – glaw (neu eira yn y gaeaf).

> Lleuad isel ar ei phen
> Fe ddaw glaw yn hir o'r nen.

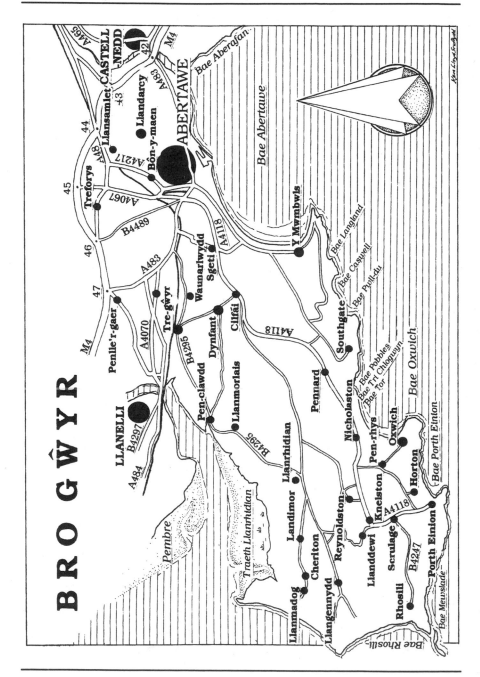

Cynefinoedd a Thirlun

Gellir dweud bod yr ardal yn un wrthgyferbyniol; ar un llaw fe'i hystyrir yn draddodiadol fel bro ddiwydiannol, ond mewn gwirionedd mae'n cynnwys amrywiaeth eang o gynefinoedd. Cwyd tir yr ardal o lefel y môr yn y de a'r gorllewin i uchder o 600 metr yn y gogledd-ddwyrain. Mae wedi ei rhannu gan gymoedd afonydd Afan, Nedd, Tawe a Dulais sydd i gyd yn llifo i Fae Abertawe. Gwahenir yr afonydd gan gribau fforestydd uchel neu weundiroedd. Ymysg y cymoedd a'r ucheldir mwyaf ceir patrwm llai o faint o gorsydd, llynnoedd a phyllau naturiol ac artiffisial, cymoedd coediog cul, nentydd llifeiriol, rhaeadrau a ffurfiau creigiau dramatig. Er gwaetha'r ffaith i'r stribyn o dir 88 kilometr sy'n ymestyn ar hyd yr arfordir gael ei effeithio gan ddiwydiant a gwasgariad trefol a dinesig, mae yno ardaloedd arwyddocaol sydd heb eu difetha. Mae'r ardaloedd hyn yn cynnwys ffeniau, corsydd, twyni tywod a chorsydd halen. Ymleda'r mynyddoedd i'r de-orllewin o gopa Craig y Llyn i gyrion Bae Abertawe. Mae'r ucheldiroedd yn y dwyrain wedi eu coedwigo'n drwm tra bod yr ucheldir yn y gorllewin wedi cadw nifer o'i nodweddion naturiol, a gwelir amryw o safleoedd gwyntog agored wrth iddynt esgyn i ymuno â'r Mynydd Du uwchben ardal Brynaman.

Ers diwedd yr Ail Ryfel Byd mae pyllau glo brig wedi cael effaith fawr ar y tirlun mewn rhai ardaloedd – yn enwedig ym Mwrdeistref Castell-nedd/Port Talbot. Wrth symud allan o'r

ardaloedd trefol a dinesig mae digon o dir amaethyddol i'w gael, gyda ffermio defaid a'r diwydiant llaeth yn yr ucheldiroedd a'r cymoedd yn amlwg. Yn 1998 roedd 299 o ffermydd dros 17,096 hectar, sef 39% o ardal Bwrdeistref Castell-nedd/Port Talbot. Mae coedwigo masnachol yn ddefnydd pwysig o dir mewn rhai ardaloedd, a gwelir tir coediog yn cwmpasu oddeutu 43% o fwrdeistref Castell-nedd/Port Talbot. Mae coedwigaeth wedi ymledu dros ardaloedd mawr bellach, yn enwedig yn y gogledd-ddwyrain.

Gellir rhannu'r fro i dair ardal ddaearyddol, sy'n cynnwys ucheldiroedd i mewn yn y tir, llwyfandir y gwastadedd a'r arfordir. Yn nhirlun yr ucheldir ceir ardaloedd eang o rostir a choed pinwydd, ac mae oddeutu dwy ran o dair o'r tir sydd yng nghanol y fro yn cynnwys ucheldir sy'n esgyn o 300m i 500m uwchlaw lefel y môr. Yn rhedeg o'r gorllewin i'r dwyrain ceir ucheldir sy'n cynnwys Mynydd y Gwair (374m), Mynydd Uchaf (358m), Mynydd Marchywel (418m), Hirfynydd (481m), Mynydd Margam (344m), Mynydd Ynyscorrwg (502m) a Chraig y Llyn (600m). Nodwedd arall yr ucheldir yw'r cymoedd serth gyda rhaeadrau ysblennydd a phyllau dyfnion. Ar lwyfandir y gwastadedd gwelir nifer o ardaloedd sy'n cynnwys cynefinoedd amrywiol, ac ymysg y rhain ceir porfeydd eang – yn enwedig yng Ngŵyr, lle ceir ardaloedd megis Comin Clun (130m), Twyni Rhosili (193m), Bryn Llanmadog (186m) a Chefn Bryn (186m). Mae tir comin hefyd yn gyffredin ar Gŵyr, a gwelir ynddynt ardaloedd sydd wedi eu gorchuddio â rhedyn ac eithin. Ceir chwe deg pump llain o dir comin yn y fro sy'n ymestyn dros arwynebedd o 9780 hectar. Yn olaf, ceir tir amaethyddol. Ychydig iawn o dir y fro sydd yn dir âr ag eithrio rhannau o Gŵyr, lle mae'n bosib manteisio ar yr hinsawdd fwyn i dyfu tatws newydd cynnar yn y gwanwyn a mefus yn yr haf. Mae mwy a mwy yn tyfu india corn, ond defnyddir y cynnyrch yma'n bennaf fel porthiant anifeiliaid. Nid yw coedwigoedd mor eang ar lwyfandir y gwastadedd ag y maent ar yr ucheldir. Yma ceir cymysgedd o goed pinwydd a choed llydanddail brodorol.

Ceir 88 kilometr o arfordir yn y fro sy'n cynnig golygfeydd godidog i'r ymwelwyr. Mae graddiant y traethau'n raddol, sy'n eu gwneud yn safleoedd delfrydol ar gyfer byd natur a gweithgareddau hamdden, yn ogystal â sicrhau bod digon o draethau tywod i'w cael yn yr ardal; ymysg y mwyaf mae Rhosili, Abertawe ac Aberafan. Yn sgîl y traethau tywod eang sydd yma, ceir hefyd nifer o dwyni tywod pwysig sy'n ddiddorol i'w harchwilio; mae'r rhai mwyaf i'w gweld i'r dwyrain o Fae Abertawe i gyfeiriad Port Talbot. Yn anffodus, oherwydd y pwysau cynyddol o du twristiaeth mae rhai o'r twyni wedi eu lefelu er mwyn creu meysydd parcio. Chwalwyd amryw yn yr oesau a fu gan ddiwydiant, a'r angen i adeiladu tai. Serch hynny, mae'r twyni yn Llangynydd a Thrwyn Chwitffordd, sy'n rhai eang iawn, yn cael eu diogelu gan Gyngor Cefn Gwlad Cymru. Law yn llaw â'r twyni tywod ceir ardaloedd eang o gorstir, ac fel y traethau, ceir graddiant graddol i'r corstir, sy'n golygu bod dŵr o'r afonydd yn cadw lefel yr halen yn y pridd yn isel; mae hyn yn ei

dro yn sicrhau bod amrywiaeth eang o blanhigion yn tyfu yn yr ardaloedd hyn. Dim ond ar adegau prin yn ystod y flwyddyn y gorchuddir y corstiroedd yma gan lanw uchel. Ceir ardaloedd eang o gorstir ar hyd aber y Llwchwr, Oxwich a Chors Crymlyn. Yn Oxwich ceir nifer o byllau sy'n ganolbwynt pwysig i amrywiaeth o anifeiliaid ac adar. Er mwyn rheoli halltrwydd y dŵr yma adeiladwyd dorau i ffrwyno llif y môr i'r corstir.

Rhy'r clogwyni sydd ar hyd yr arfordir dirlun trawiadol a dramatig – yn enwedig ar hyd arfordir Gŵyr rhwng Porth Eynon a Phen y Pyrhod. Mae clogwyni'r arfordir ar y cyfan wedi eu lleoli o gyrraedd unrhyw ffordd ac mae'n rhaid eu cyrraedd ar droed.

Yn ogystal â'r cynefinoedd uchod ceir nifer o barciau o faint sylweddol sy'n ychwanegu at y tirlun. O fewn ardal dinas Abertawe ceir dros 300 hectar o barciau a meysydd hamdden, gyda Pharc Singleton a Pharc Brynmill yn ffurfio'r ardal fwyaf eang. Ymysg parciau eraill sylweddol eu maint yn y fro ceir Parc Ravenhill, Parc Treforys, Parc y Gnoll, Parc Dyffryn Clun, Parc Margam a Pharc Afan Argoed. Mae cadwraeth a diogelu byd natur yn bwysig iawn yn yr ardal, ac i'r perwyl hwnnw ceir 2000 hectar sydd dan ofal Yr Ymddiriedolaeth Genedlaethol. Mae Ymddiriedolaeth Bywyd Gwyllt Morgannwg wedi sefydlu naw ar hugain o warchodfeydd yn yr ardal, a diogelir dros 1000 hectar fel Gwarchodfeydd Cenedlaethol.

Olion Cynhanes

Yr Oes Baleolithig

Dengys tystiolaeth bod dyn wedi ymgartrefu yn yr ardaloedd dan sylw dros 38,000 o flynyddoedd yn ôl yn ystod cyfnod o fwynder adeg Oes yr Iâ. Mae'r rhelyw o dystiolaeth o sefydliad dyn yn yr ardal wedi dod o ddarganfyddiadau a wnaed mewn ogofâu ar Gŵyr. Ceir oddeutu 95 ohonynt yno, ac amcangyfrifir i tua 22 o'r rhain gael eu defnyddio fel lloches neu safleoedd claddu dros gyfnod maith; ceir tystiolaeth hefyd bod dyn wedi defnyddio ogofâu ardaloedd Cwm Tawe uchaf ac Ystradfellte fel safleoedd byw a chladdu. Yn eu hanfod, mae ogofâu'n fannau sydd â rhyw ddirgelwch yn perthyn iddynt, ac nid yw'n syndod bod y dyn cynnar wedi eu defnyddio fel safleoedd claddu yn ogystal â safleoedd byw. Erbyn heddiw mae'n bosib ymweld â rhai o'r ogofâu hyn yn ddidrafferth ond i chi fod yn ofalus a defnyddio synnwyr cyffredin. Ar y llaw arall, rhaid nodi nad yw'n bosib mentro i rai safleoedd am eu bod yn rhy beryglus, ac o'r herwydd maent wedi eu cau. Os am fentro i'r safleoedd peryclaf sydd ar agor, mae'n bwysig eich bod yn mynd ag offer pwrpasol gyda chi. Ni ddylai pobl ddibrofiad neu rai sydd yn fregus eu hiechyd fentro i'r mannau hyn.

Dyma nodi rhai o'r ogofâu y gellir ymweld â hwy:

Ogof Pafiland (Ogof yr Arf) (SS437859)

Dyma un o ogofâu enwocaf cynhanes Prydain. Mae'n bwysig cofio mai dim ond pan fo'r llanw'n isel y gellir ei chyrraedd, ac mae'n rhaid dringo rhywfaint er mwyn mynd at y safle, ond mae'r ymdrech yn werth chweil o gofio bod dyn wedi byw yma dros 30,000 o flynyddoedd yn ôl. Gwaith cloddio William Buckland yma yn 1822 a roddodd y safle ar y map; tua hanner ffordd i mewn i'r ogof, darganfu weddillion sgerbwd yn gorwedd mewn powdwr ocru coch. Bedyddiwyd y sgerbwd yn 'Foneddiges Goch Pafiland', ond yn ôl ymchwiliadau diweddarach credir mai llanc oddeutu 25 mlwydd oed oedd perchennog y sgerbwd. Dros y blynyddoedd mae tua 5,000 o arteffactau wedi eu dadorchuddio yma. Yn ogystal, daethpwyd o hyd i esgyrn nifer o greaduriaid gan gynnwys rhinoseros blewog, mamoth, bual, blaidd, udflaidd, arth, ceffyl gwyllt a charw. Cred rhai fod presenoldeb yr holl esgyrn yn dangos bod y safle nid yn unig yn lle roedd pobl yn byw yno, ond hefyd yn orsaf hela o bwys. Arddangosir nifer o'r arteffactau a ddarganfuwyd yn yr ogof yn Amgueddfa Abertawe, ond yn anffodus, aethpwyd â sgerbwd y 'Foneddiges' i Amgueddfa Prifysgol Rhydychen.

Ogof y Twll Hir (SS452851)

Ogof naturiol mewn craig galchfaen yw hon, a chredir iddi gael ei defnyddio gan ddyn oddeutu diwedd y cyfnod paleolithig. Mae wedi ei lleoli'n weddol uchel ar y clogwyn sy'n wynebu'r de, a gellir cyrraedd ati'n eithaf hawdd. Cloddiodd E.R. Wood yn yr ogof yn 1861, ac yn ddiweddarach yn 1969, daethpwyd o hyd i esgyrn cadno, carw a cheffyl gwyllt yno. Darganfuwyd 22 o arfau fflint ynddi hefyd. Mae'r dystiolaeth archeolegol yn awgrymu mai am gyfnod byr yn unig y defnyddiwyd y safle neu, o bosib, fe'i defnyddiwyd fel man gorffwys yn ystod cyrchoedd hela.

Mae rhai o'r darganfyddiadau a wnaed i'w gweld yn Amgueddfa Abertawe tra bod eraill i'w gweld yng nghasgliad yr Amgueddfa Brydeinig yn Llundain.

Ogof Twll y Gath (SS538900)

Mae'r ogof wedi'i lleoli'n agos i Parkmill, ac er ei bod hi oddeutu 50 troedfedd i fyny ochr y dyffryn, gellir ei chyrraedd yn ddidrafferth wrth ddilyn llwybr sydd â grisiau hwylus. Unwaith eto, ogof naturiol mewn calchfaen yw hon, ac fe'i defnyddiwyd gan ddyn yn ystod y cyfnod 36,000 i 25,000 CC. Fel yn achos Ogof y Twll Hir, awgrymir mai am gyfnod byr yn unig y defnyddiwyd y safle neu iddi gael defnydd fel man gorffwys yn ystod cyrchoedd hela. Cloddiwyd yr ogof gan E.R. Wood yn 1864 a daethpwyd o hyd i 131 o arteffactau gan gynnwys arfau fflint; mae'r rhain bellach i'w gweld yn yr Amgueddfa Brydeinig.

Twll Minchin (SS555868)

Mae hon yn ogof sydd yn anodd i'w chyrraedd, a dim ond pobl brofiadol ac abl ddylai fentro yma. Archwiliwyd yr ogof yn 1850 gan E.R. Wood ac yna yn 1932 gan T.N. George; darganfuwyd esgyrn eliffant, bual ac udflaidd a hwn yw un o'r safleoedd prin ar Gŵyr lle darganfuwyd esgyrn llew.

Ogof y Dant (SS532909)

Gallwch gyrraedd at geg yr ogof hon yn weddol hawdd, ond yn anffodus mae'r mynediad i mewn iddi wedi'i chau gan giât fetel. Dim ond y mwyaf profiadol all fentro i mewn i hon am resymau diogelwch. Nodwedd amlwg yr ogof hon yw darn o graig wrth y fynedfa sy'n ymdebygu i ddant sydd wedi rhoi'r enw iddi. Mewn gwirionedd, dwy ogof wedi eu cysylltu sydd yma, ond nid yw'r fynedfa wreiddiol i'r ail ogof wedi'i darganfod eto. Daethpwyd o hyd i olion o leiaf wyth o bobl yma sy'n dyddio'n ôl i'r Oes Efydd. Mae canfod yr holl esgyrn hyn yn awgrymu mai safle claddu o bosib oedd yr ogof i'r gymuned leol. Gellir gweld darganfyddiadau o'r ogof hon yn Amgueddfa Genedlaethol Cymru.

Ogofâu Dan yr Ogof

I'r ymwelwyr sy'n dymuno cael blas ar fywyd ogofâu mewn awyrgylch cymharol ddiogel, beth am fentro i ogofâu Dan yr Ogof yn Aber-craf? Mae llwybrau newydd a hwylus wedi eu torri yno er mwyn tywys yr ymwelwyr, ac wrth gerdded bydd rhywun yn rhyfeddu at ffurfiau daearegol tanddaearol – yn ogystal â gweld sut y manteisiodd dyn ar ogofâu fel lloches. Darganfuwyd hwy gan Jeff ac Ashwell Morgan, dau ffermwr lleol, yn 1912, ar ôl iddynt wasgu drwy gilfach fach a tharo ar Dan yr Ogof. Ar y pryd, dim ond rhan fechan o'r holl rwydwaith a ganfuwyd. Yn 1953 daethpwyd o hyd i Ogof y Gadeirlan, sef un o'r ogofâu tanddaearol mwyaf ym Mhrydain. Uchafbwynt y rhwydwaith o ogofâu yw Dôm Sant Paul, lle ceir llyn tanddaearol sy'n cael ei fwydo gan raeadrau yn disgyn o'r graig. Gellir hefyd ymweld ag Ogof yr Esgyrn, lle darganfuwyd 42 o sgerbydau dynol sy'n dyddio'n ôl dros 3,000 o flynyddoedd. Tu mewn i Ogof yr Esgyrn ceir arddangosfa sy'n olrhain hanes a pherthynas dyn ag ogofâu, a gwelir olion anifeiliaid a gafwyd hyd iddynt mewn ogofâu. Ceir ymgais hefyd i ail-greu bywyd beunyddiol yr oes haearn. Yn ogystal â'r ogofau ceir yma arddangosfa sy'n cynnwys 50 o ddeinosoriaid sydd wedi eu hail-greu i'w maint cywir, ac yn eu plith ceir Tyranosorws Rex sydd yn mesur 10 metr o hyd a Brontosorws maint bws. Yn is i lawr o'r ogofâu ond yn rhan o'r un atyniad ceir nifer o weithgareddau eraill gan gynnwys fferm o'r oes haearn, ceffylau gwedd a mannau chwarae i blant.

Porth yr Ogof

Mae nifer fawr o ymwelwyr yn ymweld â Phorth yr Ogof, sef safle hynod o brydferth ger Ystradfellte. Dyma'r safle lle mae nifer o bobl yn mentro rhoi cynnig ar ogofa am y tro cyntaf ac mae Porth yr Ogof wedi bod yn boblogaidd ymysg rhai sy'n ymweld â'r ardal ers cannoedd o flynyddoedd. Yn wahanol i nifer o ogofâu eraill yr ardal, nid oes unrhyw dystiolaeth wedi ei ddarganfod hyd yma i ddangos bod dyn wedi defnyddio Porth yr Ogof fel safle i fyw ynddo. Efallai mai'r rheswm am hyn yw'r ffaith fod y rhelyw o'r coridorau yn y system yn cael eu heffeithio gan lifogydd yn aml. Disgrifiwyd ardal Porth yr Ogof gan nifer o deithwyr. Daeth Edward Llwyd yma yn 1698, a darganfu yntau ffosiliau a welodd yn yr ogof, ' . . . *I have observed several remains of Cockles half worn by the swift current of the river Melte (Mellte) which runs through the cave and polishes its limestone.*'

Yn 1805 yn ei lyfr The History of the County of Brecknock disgrifiodd Theophilus Jones Porth yr Ogof fel hyn:

. . . here the banks on both sides are nearly precipitous . . . creeping on all four on the left, on entering we discover a nearly perfect concave dome, from the roof of which are suspended stalactytes and other calcareous concentrations in great abundance. On the right or northern side of the cave again is another branch of the cavern, which is said to extend many miles in length, where persons have lost their way and never returned . . .

Ymwelodd Benjamin Malkin â'r safle yn 1803, ac yn ei lyfr *The Scenery, Antiquities and Biography of South Wales* (1804) mae'n rhoi disgrifiad o'i daith o'r fynedfa i mewn i'r ogof hyd at y fan lle mae'r afon yn ailgodi o'r ddaear ('The Resurgence'):

There is a practicable passage through it; but the attempt is imprudent. It is necessary to carry candles; and if they are extinguished by the damp vapour, the difficulty and danger become very great . . . We penetrated about 100 yards as far as any glimmering of daylight from the mouth directed us: and this specimen of Stygian horror was amply sufficient to satisfy all rational curiosity.

Roedd Theophilus Jones o'r gred fod grymoedd natur ynghyd ag unigedd y cwm yn effeithio ar feddwl a chred y trigolion lleol. Yn ei lyfr (uchod) fe roddodd ddisgrifiad o goelion y trigolion:

> We are almost inclined to think that the wilderness of character and peculiarity of feature of the scenery of this country have in some degree affected the opinions of the inhabitants, and have contributed to preserve among them a greater number of the legends of antiquity and a stronger faith in old tales about ghosts and hobgoblins than in any other part of the country.

Er nad yw'n hollol amlwg i'r dibrofiad, mae 'bywyd' i'w weld o fewn yr ogof. Gan nad yw goleuni'r haul yn treiddio i mewn iddi, nid oes unrhyw blanhigion gwyrdd yn tyfu yma. Weithiau ceir enghreifftiau o blanhigion yn tyfu lle mae hadau wedi eu cario i mewn i'r ogof ar wadn esgidiau neu gan rym llifogydd, ond byr iawn yw eu hoes yn y tywyllwch. Ceir enghreifftiau o ffwng yn tyfu yma – yn enwedig ar ganghennau a brigau coed sydd wedi eu llusgo i mewn gan lifogydd. Weithiau gellir gweld Bronwen y Dŵr tu mewn i'r ogof yn ogystal â rhai mathau o ystlumod (er nad yw'r safle gyda'r gorau i weld a gwylio'r creaduriaid hyn). Weithiau ceir ambell frithyll yn y pyllau – yn enwedig yn dilyn llifogydd ac mae cymuned o frogaod i'w gweld o fewn yr ogof.

Yr Oes Neolithig (Oes Newydd y Cerrig)

Ceir dau safle o bwysigrwydd yng Ngŵyr sy'n perthyn i'r cyfnod neolithig (sef y cyfnod 4,000 – 3,000 CC). Gellir ymweld â'r ddau safle o fewn taith hanner diwrnod.

Claddfa Parc le Beros, Parkmill (SS537898)
Dyma un o'r enghreifftiau gorau o garn gellog hir yn ne Cymru. Gellir cyrraedd y safle'n hawdd wrth ddilyn y llwybr cyhoeddus o gyfeiriad Parkmill. Mae'r safle wedi ei gloddio'n eang ac ailgrewyd rhan o'r garn yn dilyn cyfnod o gloddio yn 1960-61. Darganfuwyd y safle'n ddamweiniol yn 1869 gan weithwyr oedd yn chwilio am gerrig i'w gosod yn sylfaen lôn newydd. Cloddiwyd y safle gan Syr John Lubbock – y gŵr a fu'n gyfrifol am fathu'r term 'Neolithig'. Ar y pryd credai Lubbock mai carn gron oedd y safle, ond dangosodd cloddio diweddarach gan Glyn Daniel mai carn hir sydd yma, sy'n perthyn i draddodiad y Severn-Cotswold. Yng nghanol y garn darganfuwyd esgyrn 20-24 o unigolion wedi eu gosod mewn celloedd. Mae'r rhai sydd â'r gallu i ddewinio dŵr yn dweud bod y siambr yn gorwedd uwchben afon danddaearol a bod y safle o bosib wedi ei gysegru i dduwies ddŵr danddaearol. Gellir gweld rhai o ddarganfyddiadau'r safle yn Amgueddfa Ashmolean, Rhydychen.

Maen Arthur neu Maen Cetti (SS491905)
Gellir cyrraedd y safle hwn drwy ddilyn llwybr cyhoeddus oddi ar ffordd y

B4271 o Reynoldston, ac yno ceir dwy siambr neolithig o fewn carn gylchog. Cloddiwyd yma yn gyntaf gan Syr Gardiner Wilkinson yn 1870, a diogelwyd y safle gan Ddeddf Creiriau Hanesyddol 1882. Ffurfiwyd y capfaen o hen dywodfaen coch ac amcangyfrifir ei fod yn pwyso oddeutu 24 tunnell ac yn mesur 4m x 3m x 2.2m yn wreiddiol, ond erbyn heddiw mae wedi hollti'n dri darn. Cofnododd Iolo Morganwg y chwedl bod Dewi Sant wedi ei hollti yn ystod y chweched ganrif i rwystro'r derwyddon rhag defnyddio'r safle i addoli duwiau paganaidd. Mae'r capfaen yn gorwedd ar naw o gerrig llai o faint, a chredir bod y garn wedi ei gorchuddio gan gerrig mân ar un adeg. Ni ddarganfuwyd unrhyw weddillion dynol yma i gadarnhau mai carn yw'r safle.

Mae amryw o lên gwerin a chwedlau eraill yn gysylltiedig â'r safle. Yn ôl un chwedl, poblen o esgid y Brenin Arthur yw'r garreg, a'i bod wedi ei thaflu i'r fan tra oedd yn teithio heibio Caerfyrddin i Frwydr Camlan. Fe daflodd y boblen bellter o saith milltir! Yn ôl traddodiad arall dywedir bod y Brenin Arthur i'w weld ar nos olau leuad ar gefn ceffyl yn dilyn llwybr penodol yn agos i'r garn. Honnai Syr Gardiner Wilkinson i'r llwybr ddilyn safle rhodfa gerrig a arweiniai at y garn. Credai rhai bod y rhodfa gerrig yma'n pwyntio at safle gwawrio'r haul yn ystod y cyfnod rhwng mis Mai a Thachwedd, a bod i'r rhodfa arwyddocâd astrolegol.

Dywedir bod y garreg yn mynd i lawr i aber yr afon Llwchwr i yfed yn ystod canol haf. Ceir nifer o draddodiadau caru sy'n gysylltiedig â'r safle hefyd.

Yr Oes Efydd

Mae'n ymddangos bod y broydd hyn wedi ffynnu yn ystod yr Oes Efydd. Yn ystod y cyfnod hwn bu twf mawr yn y boblogaeth, ac adlewyrchir hyn yn y nifer o safleoedd claddu sydd yno – yn enwedig ar y tir uchel. Yn sicr, nid oes prinder olion carneddau na meini hirion yn yr ardal, ac mae digon o safleoedd hwylus sydd o ddiddordeb i ymwelwyr.

Carn Llechart (SN697063)
'Hynafol yw Carn Llechart ar y Baran Moel' – Dafydd Rowlands.
Mae Carn Llechart yn enghraifft wych o garn gylchog sy'n hanu o gyfnod yr Oes Efydd. Saif ar fynydd Llechart oddi ar yr A474 o Bontardawe i Gwaun Cae Gurwen. Mae'r cylch, sy'n mesur oddeutu 14 metr wedi ei ffurfio gan 25 o gerrig ac yn y canol ceir cist hirsgwar, ond nid oes unrhyw olion o'r capfaen. Fe'i gelwir yn lleol yn Gerrig Peics neu 'Pikes' – un ai am fod y cerrig yn ymdebygu i bicellau neu oherwydd y gred fod coblynnod (pixies) i'w gweld yn dawnsio o gwmpas y safle. Yn yr un ardal â Charn Llechart ceir oddeutu un ar bymtheg o bentyrrau eraill o gerrig, a chredir bod y grib yn safle mynwent o'r Oes Efydd. Credai rhai bod i'r llecyn arwyddocâd seryddol a bod yr enw'n tarddu o gysylltiad y cerrig â phatrymau'r sêr, yn enwedig yr Arth Fawr (neu'r Arad) h.y. 'Llech yr Arth'.

Penlle'r Bebyll (SN635048)
Gellir cyrraedd Penlle'r Bebyll drwy yrru o bentref Felindre i gyfeiriad Garnswllt. Gorwedda'r garn ar gopa Mynydd Pysgodlyn. Siâp pedol sydd i'r safle gyda ffos yn amgylchynu cefnen o

bridd. Ceir 'mynedfa' o'r ochr ddeheuol sydd wedi ei chau'n rhannol gan amgaead bach. Credai rhai mai adeilad ar gyfer dioddefwyr y pla yn ystod y Canol Oesoedd oedd hwn. Dengys cloddio archeolegol mai perthyn i'r Oes Efydd a wna'r waliau allanol, ac awgrymir mai man seremonïol oedd Penlle'r Bebyll. Ceir safle tebyg i hwn ar gopa Craig Fawr (SN628066), lle ceir dau gylch tebyg, a chredir mai pwrpas seremonïol oedd i'r fan hon yn ogystal.

Carneddi Gylchog, Bryniau Rhosili (SS421890)

Gellir parcio'r car yn y maes parcio yn Rhosili (codir tâl) ac yna dilyn y llwybr cyhoeddus i'r gogledd o'r eglwys i fyny i Dwyni Rhosili. Ceir oddeutu deuddeg o garneddau ar y bryniau hyn.

Ar y cyfan, mae'r safleoedd mewn cyflwr gwael, ac mae'r carneddi wedi eu lladrata a'u difa er mwyn cael cerrig ar gyfer adeiladau. Gellir gweld y carneddi ar yr ochr dde o'r llwybr cyhoeddus. Mae safle Sweyne's House (SS421897) hefyd yn enghraifft o safle claddu'r Oes Efydd.

Arwydd arall o dystiolaeth sy'n awgrymu ffyniant a thwf y boblogaeth yn ystod yr Oes Efydd yw'r holl Feini Hirion sy'n britho'r tirwedd.

Carreg Bica (SS725995)

Saif y garreg hon ar ei phen ei hun ar Fynydd Drumau ger Birchgrove oddeutu 2 kilometr i'r gogledd-orllewin o Gastell-nedd. Erbyn heddiw mae'r garreg dywodfaen, sydd 4.3 metr o uchder yn rhan o glawdd cae ac mae'n nodwedd amlwg ar y tirlun – gellir ei gweld o bellter cyn ei chyrraedd. Nid oes sicrwydd ynglŷn â'i phwrpas; tybia

rhai mai carreg derfyn ydyw tra bo eraill yn honni mai nodi safle claddu yw ei phwrpas. Yn lleol, fe'i gelwir yn Maen Bradwen neu'n *Hoar Stone* (gan fod y crisialau gwynion yn y garreg yn ymdebygu i lwydrew). Ceir coel leol ynglŷn â'r garreg sy'n honni ei bod yn mynd i lawr i afon Nedd ar fore Gwener y Groglith ar alwad ceiliog.

Carreg Hir, Briton Ferry/Llansawel (SN744953)

Mae'r garreg hon i'w gweld o fewn buarth chwarae Ysgol Cwrt Sart. Symudwyd hi oddeutu ugain llath o'i safle gwreiddiol a heddiw mae wedi ei gosod ar blinth concrid a saif saith troedfedd a hanner o uchder.

Meini Hirion Knelston, Gŵyr

Ceir sawl carreg o fewn un ardal fechan yma. Saif y garreg gyntaf, Carreg Neuadd Knelston (SS469891) yn agos i adfeilion hen eglwys y plwyf. Ar hyd y llwybr cyhoeddus o Knelston i gyfeiriad Burry gwelir mwy nag un carreg gyda'i gilydd yn yr un fan (SS463902). Saif y fwyaf oddeutu chwe throedfedd o uchder a cheir rhigol ar ei hochr – credai rhai bod arwyddocâd defodol i'r rhigol. Ar hyd yr un llwybr i gyfeiriad Higher Mill ceir carreg arall, sydd yn anffodus wedi disgyn ac yn gorwedd ar ei hochr. Mae'r garreg yma'n mesur oddeutu naw troedfedd o hyd. (SS465901)

Meini Hirion Llanrhidian, Gŵyr

Yma saif tair carreg sy'n eithaf enwog yn lleol. Gellir gweld y gyntaf oddeutu hanner canllath o'r *Greyhound Inn*, ac mae'n sefyll mewn gwrych ar ochr y ffordd sydd gyferbyn (SS487920). Mae hi oddeutu pum troedfedd o uchder ac edrycha fel carreg wen oherwydd y grisial sydd ynddi. Saif yr ail garreg, sydd oddeutu naw troedfedd o uchder ger hen felin wynt yn Llanrhidian, ond arferai fod yng nghanol y pentref. Gelwir hon ar lafar gwlad yn 'Mansel Jack' neu'n 'Samson's Jack'. Y drydedd garreg yw carreg Pitton Cross sydd i'w gweld ger Oldwalls (SS484919), sydd oddeutu pum troedfedd o uchder; erbyn heddiw mae wedi ei gorchuddio ag eiddew.

O fewn tafliad carreg i ganol dinas Abertawe gellir gweld carreg Bonymaen. Mae'n garreg sydd oddeutu chwe throedfedd o uchder ac mae wedi ei gosod mewn gwrych gardd (SS678953). Ym mhen uchaf Cwm Tawe gellir gweld Saith Maen sydd ar lethrau mynydd Cribarth uwchben Castell Craig-y-Nos (SN833155). Mae'r Saith Maen wedi eu gosod mewn llinell oddeutu deg llath o hyd yn rhedeg o'r dwyrain i'r gorllewin. Dim ond pump o'r saith carreg sy'n sefyll, ac amrywia uchder y rhain o oddeutu tair troedfedd i bum troedfedd. Ychydig i fyny'r cwm o Borth yr Ogof, Ystradfellte gellir gweld Maen Llia (SN924193) sydd o faint sylweddol ac o siâp unigryw. Saif dros un ar ddeg troedfedd ac mae iddi siâp diamwnt. Cred rhai bod arwyddocâd defodol i'r garreg. Ceir hen goel sy'n honni ei bod yn mynd i lawr at afon Nedd ar alwad y ceiliog.

Amgueddfa Cerrig Margam (02920 500200)

Yn yr amgueddfa ceir enghreifftiau o gerrig Cristionogol nadd ac arysgrifenedig. Mae'r casgliad yn cynnwys 25 o gerrig, ac mae pymtheg ohonynt yn dyddio o'r chweched i'r unfed ganrif ar ddeg. Gellir gweld Carreg Cantusus yma, sef y garreg hynaf yn y casgliad. Carreg filltir Rufeinig yw'r garreg a ddarganfuwyd ger Port Talbot. Arni ceir yr arysgrif: I M [P C] / F L A [V A] / L M[AXI]/MINO/INVIC/TO AU/GUS; sef 'I'r Ymerawdwr, Cesar, Fflafiws Faleriws Macsimws yr Awgwstws anorchfygol'. Mae'r arysgrif yn dyddio'r garreg i'r cyfnod 309 – 13 OC. Ar ochr arall y garreg ceir arysgrif sy'n dyddio o'r chweched ganrif sy'n dangos ei bod wedi ei hailddefnyddio ben i waered fel carreg goffa Gristionogol. Mae Carreg Pumpeius yn dyddio o'r chweched ganrif ac fe'i darganfuwyd ger y ffordd sy'n mynd o Fargam i Cynffig. Gellir gweld arni arysgrif mewn Lladin, ac mewn Ogam. Mae'r arysgrif Lladin yn darllen fel hyn: 'Pumpeius fab Carantorius' ac efallai ei bod ar un adeg yn nodi safle claddu. Daethpwyd o hyd i Garreg Bodvoc mewn man a gysylltid â charn o'r Oes Efydd. Ar y garreg ceir arysgrif sy'n darllen: '(carreg) Bodvoc. Yma y gorwedd mab i Catotigrimus (a) gorwyr i Eternalis Fedomafus'. Ymysg y croesau sydd arni, mae Croes Einion, sy'n dyddio o'r nawfed neu'r ddegfed ganrif. Ar y garreg ceir cerfwaith cain gydag arysgrif mewn Lladin sydd yn darllen 'Croes Crist wedi ei gwneud gan Enniaun er enaid Guorgoret'. Dyddia Croes Grutne o oddeutu'r flwyddyn 900, ac arni ceir yr arysgrif: 'Yn enw y goruwch Dduw. Croes Crist. Gwnaed hon gan Grutne ar gyfer enaid Ahest'. Y groes fwyaf trawiadol yn y casgliad yw Croes Cynfelyn sy'n dyddio o'r nawfed neu ddegfed ganrif. Ar y garreg ceir nifer o arysgrifiadau a cherfwaith cain.

Yr Oes Haearn

Y prif dystiolaeth a geir o'r datblygiadau a welwyd yn ystod yr Oes Haearn yw'r holl olion o anheddau sy'n britho'r tirlun. Mae rhai safleoedd wedi goroesi'n well nag eraill, ond mae digon o amrywiaeth o safleoedd yn y fro i ennyn diddordeb. Roedd yr anheddau fel arfer ar ffurf safle amgaeëdig wedi eu hamgylchynu gan ffosydd a thwmpathau o bridd er mwyn amddiffyn y safle. Fel arfer, roedd y bryngaerau'n cael eu hadeiladu ar dir uchel, a'r prif reswm am hynny oedd i ddiogelu'r lle ac i atal ymosodiad. Prin iawn yw'r gwaith archeolegol sydd wedi'i wneud ar y safleoedd hyn, ac felly mae'n anodd dyddio'r datblygiadau'n fanwl gywir, ond credir bod nifer fawr o'r anheddau a'r bryngaerau'n perthyn i gyfnod yr Oes Haearn.

Bryngaer Mynydd y Castell, Margam (SS806867)

Gellir ymweld â'r safle fel rhan o'ch ymweliad i Barc Margam. Mae'r llwybr sy'n arwain ato'n rhedeg i'r dde o Gastell Margam. Wrth i chi esgyn y llwybr tuag at y castell mae'n hawdd deall pam y dewiswyd y safle – mae'n hawdd i'w amddiffyn ac mae'n amhosib ymosod arno gydag unrhyw lwyddiant. Byddai'r lle'n cael ei amddiffyn gan un rhagfur, a cheir olion ffos amddiffynnol ar yr ochr ddwyreiniol. Erbyn heddiw mae coed pîn a rhododendrons yn tyfu y tu mewn i'r safle sydd, o bosib yn

arwydd bod y lle'n rhan o waith tirlunio'r parc yn ystod y bedwaredd ganrif ar bymtheg.

Tair Bryngaer ar Dwyni Harding, Llangynydd, Gŵyr (SS434908) (SS43 906) (SS437908)

Ar gopa Twyni Harding ceir tair bryngaer yn agos i'w gilydd. Y fryngaer fwyaf cyflawn yw'r un sy'n gorwedd ar ran orllewinol y bryn. Siâp hirgrwn sydd i'r safle hwn, gyda thwmpath o bridd a ffos sylweddol yn ffurfio'r amddiffynfeydd. Roedd y fynedfa wedi ei gosod ar yr ochr ogleddol ac mae gwaith archeolegol ar y safle wedi dangos ei bod yn cael ei hamddiffyn gan giatiau a oedd o bosib yn cael eu cynnal gan bedwar postyn pren, a darganfuwyd tyllau a arferai gynnal y pyst yn ystod gwaith cloddio.

Yn agosach i ran uchaf Twyni Harding ceir safle arall o siâp hanner cylch. Mae'n ddigon posib mai dim ond hanner caer sydd yma, a bod y gwaith efallai heb ei gwblhau yn sail ymosodiadau gan y gelynion. Cawsai ei amddiffyn gan fancyn o bridd a ffos mewn rhai mannau. Gosodwyd y fynedfa ar yr ochr ddwyreiniol, a gerllaw ceir bancyn arall o bridd sydd o bosib yn awgrymu mai safle ar gyfer cadw anifeiliaid oedd hwn.

Saif y trydydd safle ychydig i'r gogledd o'r copa, sydd eto o siâp cylch wedi ei amgylchynu â bancyn o bridd a ffos. Awgryma ei faint bychan mai annedd i un neu ddau o deuluoedd ydoedd. Mae'r fynedfa i'r safle yma wedi ei gosod ar yr ochr ogledd-orllewinol. Mae'n werth ymweld â'r lle, oherwydd wrth edrych allan ar y tirlun gallwch ond dychmygu pa mor ddelfrydol oedd y lleoliad yn ystod yr oes a fu.

Y Bwlwarc, Llanmadog, Gŵyr (SS443928)

Awgryma ffurf gymhleth y safle hwn bod adeiladu wedi digwydd yno yn ystod sawl cyfnod. Ceir patrwm cymhleth o fanciau pridd a ffosydd, sydd hefyd yn awgrymu bod sawl defnydd wedi bod i'r safle. Dywed rhai mai man byw yn unig oedd yma, tra bod eraill yn dadlau na fyddai'r amddiffynfeydd wedi eu datblygu i'r fath raddau pe na fyddai i'r lle bwrpas milwrol.

Craig y Dinas, Pontneddfechan (SN913080)

Saif Craig y Dinas rhwng cydlifiad afonydd Mellte a Sychryd. Mae'n graig ddramatig gydag ochrau serth a ddefnyddir yn bennaf ar gyfer hyfforddi ac ymarfer dringo heddiw. Ar gopa'r graig ceir bryngaer sy'n dyddio o'r Oes Haearn. Mae pob ochr o'r gaer ag eithrio'r ochr ogledd-ddwyreiniol yn cael eu hamddiffyn gan yr ochrau serth naturiol. Dim ond ar yr ochr ogledd-ddwyreiniol y ceir unrhyw olion o waith adeiladu. Yma ceir olion dau ragfur. Tu allan i'r prif safle ceir annedd llawer llai o faint, a chredir mai safle ar gyfer cadw anifeiliaid oedd hwn, tra bo'r prif safle yn cael ei ddefnyddio gan gymuned o bobl.

Y Knave, Rhosili, Gŵyr (SS432864)

Gelwir y safle yma hefyd yn Wersyllt Twll Deborah. Siâp hanner cylch sydd i'r lle a gwelir pedwar rhagfur a thair ffos yno. Mae'r rhagfur mewnol oddeutu 3 metr o uchder, a cheir mynedfa i mewn trwy'r rhagfuriau allanol ar yr ochr orllewinol. Cloddiwyd ar y safle yn 1938 a daethpwyd o hyd i olion dau gwt crwn. Roedd darganfyddiadau eraill yn awgrymu bod y trigolion yn ddibynnol ar anifeiliaid a chregyn y môr am gynhaliaeth, a daethpwyd o hyd i esgyrn geifr, defaid ac ych yma. Ger y fynedfa canfyddwyd tyllau yn y llawr sy'n awgrymu ei fod yn cael ei hamddiffyn gan gatiau pren.

Gwlad y Rhaeadrau

O fewn ardal Cwm Nedd ceir yr amrywiaeth gorau o raeadrau yng Nghymru gyfan, ac ar lafar gwlad gelwir y fro yn 'wlad y rhaeadrau'. Mae ceunentydd dwfn afonydd Mellte, Hepste a Nedd Fechan, rhwng Pontneddfechan ac Ystradfellte yn cynnig cyfle gwych i'r cerddwyr weld nifer o raeadrau ysblennydd. Cymaint yw'r amrywiaeth yma fel ei bod hi'n bosib i'r cerddwr profiadol a'r rhai llai profiadol drefnu cylchdeithiau hwylus. Mae hefyd yn syniad da i ymweld â'r ardal ar wahanol gyfnodau o'r flwyddyn gan fod pob tymor â rhywbeth gwahanol i'w gynnig. Mae'n werth cael gafael ar lawlyfr penodol sydd yn ymdrin â'r ardal, gan mai dim ond rhagflas ohono a geir yma. Gall y llwybrau sydd i'w cael mewn rhai ardaloedd fod yn beryglus iawn, ac ni chynghorir i'r rhai nad ydynt yn heini fentro'n ormodol. Rhaid hefyd cofio ei fod yn bwysig gwisgo dillad ac esgidiau pwrpasol, a chadw llygad ar y tywydd. Ni ddylid ar unrhyw gyfrif fentro i mewn i'r dŵr gan fod nifer o ddamweiniau angheuol wedi digwydd yma yn ystod y blynyddoedd diwethaf.

Taith Sgwd Gwladys
Mae hon yn daith gerdded weddol hawdd, gyda llwybrau gwastad. Gellir dechrau'r daith o Ganolfan Groeso Pontneddfechan, lle ceir maes parcio hwylus, ac mae'n rhaid mynd heibio tafarn yr Angel sydd gyferbyn. Ar ddechrau'r daith fe eir heibio'r Graig Ddu. Nepell o'r fan hyn byddai ceffylau'n arfer tynnu certiau i Bont

Walby ac yna ymlaen i Gamlas Castell-nedd. Arferid cloddio am silica yno ar un adeg; bu'r diwydiant yn llewyrchus yn yr ardal hyd at ryw 90 mlynedd yn ôl, a cheir nifer o olion hen byllau yno sy'n dyddio o 1820. Un o'r prif resymau am lwyddiant y pyllau silica oedd y ffaith i William Weston Young wneud y darganfyddiad ei bod hi'n bosib gwneud brics tân effeithiol iawn drwy ddefnyddio silica. Defnyddid brics tân Dinas ledled y byd i leinio ffwrneisiau dur a haearn yn ogystal â llefydd tân mewn tai. Câi'r brics eu gwneud ym Mhont Walby a chaewyd y gwaith yn 1920.

Roedd yr ardal hefyd yn enwog am ei gweithfeydd powdr gwn; agorwyd y rhain gan Gwmni Powdr Cwm Nedd yn 1862, ond yn ddiweddarach unwyd y gweithfeydd i ffurfio Cwmni Ffrwydron Nobel. Defnyddid y powdr gwn yn bennaf ar gyfer y pyllau glo yn yr ardal a hefyd yn chwareli llechi gogledd Cymru. Mae olion nifer o adeiladau'r hen weithfeydd i'w gweld yn britho'r tirlun. Erbyn heddiw dim ond tair wal sydd i'w gweld o'r adeiladau gan fod y bedwaredd wal a'r to yn cael eu hadeiladu o bren, a hynny er mwyn sicrhau nad oedd yr adeilad cyfan yn cael ei chwythu'n yfflon mewn ffrwydriad. Caeodd y gweithfeydd powdr gwn yn 1931 ar ôl i'r Swyddfa Gartref ddileu powdr du o restr Ffrwydron Cyfreithlon. Llosgwyd a dymchwelwyd rhai o'r adeiladau yn 1932 am resymau diogelwch.

Wrth gerdded i fyny'r ceunant cul gwelir bod y coed yn tyfu'n uchel ar y llethrau, a gellir clywed a gweld y nant yn rhedeg yn wyllt. Yr adeg gorau i ymweld â'r lle yw ar ôl cyfnod o law trwm, ond mae'n rhaid bod yn ofalus gan fod y llwybrau'n llawer mwy llithrig ar ôl cyfnod o dywydd gwlyb. Ceir sawl man gorffwys ar hyd y daith, ac i'r rhai sy'n dymuno, gellir cael picnic ar y byrddau pren sydd yma a thraw.

Wrth barhau ar y llwybr fe ddewch at Gwm Corrin sydd gyda nant fechan yn llifo trwyddo. Ar y lan gyferbyn gellir gweld olion swyddfeydd y gweithfeydd silica. Ychydig yn nes ymlaen ar y daith byddwch yn cyrraedd Pum Pwll sef y fan lle ymuna afonydd Pyrddin a Nedd. Ychydig yn uwch i fyny fe welwch bont bren ar y dde. Am y tro, peidiwch â chroesi'r bont ond yn hytrach, ewch ymlaen i'r chwith i gyfeiriad Sgwd Gwladys. Mae'r bont bren gyda llaw yn arwain at deithiau llawer hirach o gwmpas y sgydau. Ychydig wedi i chi basio'r bont bren fe glywch sŵn dŵr yn rhuo. Dringwch y llwybr sy'n gwyro i'r chwith, ac o'ch blaen fe welwch Sgwd Gwladys yn rhaeadru i lawr i Bwll Calch. Sgwd fechan yw hon o'i chymharu â rhai o'r gweddill, ond mae'n werth ei gweld – yn enwedig ar ôl cyfnod o law trwm. Mae llwyfan pwrpasol wedi ei adeiladu yma er mwyn i'r rhai sy'n ymweld gael gweld y sgwd yn glir a thynnu llun neu ddau. Cysylltir enw'r sgwd â chwedl Gwladys, un o ferched Brychan, brenin Brycheiniog. Dywedir iddi gael carwriaeth siomedig a thrist gydag Einion. Yn nes i fyny'r afon ceir sgwd arall o'r enw Sgwd Einion Gam, a hynny oherwydd y modd y mae'r dŵr yn disgyn yn gam dros y graig am oddeutu saith deg troedfedd. Yn anffodus, nid oes llwybr penodol yn arwain ati, ac nid yw'n ddoeth i chi geisio'i chyrraedd. Ar un adeg arferai

Carreg neu Faen Sigl fod rhwng y ddwy sgwd ond yn anffodus, symudwyd y garreg gan weithwyr a oedd yn adeiladu rheilffordd Cwm Nedd. Wedi i chwi weld Sgwd Gwladys gallwch ddilyn ôl eich troed ac anelu at y bont bren fydd ar y chwith i chi. Mae'r bont bren yn croesi afon Pyrddin ac yn eich arwain i mewn i Bowys ac i dir Parc Cenedlaethol Bannau Brycheiniog.

Arweinia'r llwybr hwn at Sgwd y Bedol a Sgwd Dwli Uchaf, ac mae'n rhaid nodi eu bod yn llawer mwy serth, ac yn llithrig. Ceir golygfeydd godidog oddi yma wrth edrych i lawr y ceunant, ond gwyliwch rhag mynd yn rhy agos at yr ochr gan fod y graig yn disgyn yn serth i lawr i'r ceunant. Mae'r enw – Sgwd y Bedol yn un pwrpasol iawn, gan ei fod yn disgrifio siâp y dŵr i'r dim wrth iddo raeadru dros wahanol lefelau'r graig. Yn uwch i fyny'r afon mae sgwd Dwli Uchaf a Sgwd Dwli Isaf. O'r ddwy sgwd y mwyaf trawiadol yw Sgwd Dwli Isaf, yn enwedig ar ôl cyfnod o law trwm – sy'n peri i'r dŵr redeg yn gyflym. Wedi i chi fynd heibio'r sgydau hyn gallwch ddilyn y llwybr ymlaen i Bont-Rhyd-y-Cnau ond mae'r llwybrau'n llawer anoddach i'w cerdded; serch hynny, ond os dymunwch, mae'n bosib dilyn ôl eich traed i Bontneddfechan.

Mae'r sgydau mwyaf dramatig i'w gweld ar afonydd Hepste a Mellte, ond unwaith eto, mae'r llwybrau'n llawer caletach ac yn serth a llithrig. Y man mwyaf hwylus i ddechrau'r daith yw maes parcio Craig y Ddinas, ond yn anffodus, mae lladron ceir wedi bod yn weithgar yn yr ardal yn ystod y blynyddoedd diwethaf. Os mynnir, gellir dechrau'r daith ym maes parcio

Pontneddfechan, ond mae hyn yn golygu bod rhaid cerdded tipyn ymhellach. Y sgydau a welir ar hyd y daith hon yw Sgwd yr Eira ar afon Hepste a Sgydau Clun Gwyn Uchaf, Canol ac Isaf ar y Mellte. Wedi i chi adael maes parcio Craig y Ddinas gallwch ddilyn llwybr serth i'r chwith gan ddringo rhwng y graig a'r afon Mellte. Byddwch yn mynd heibio hen weithfeydd silica ac yn croesi rhostir agored cyn cyrraedd coedwig bîn sydd â llwybr yn arwain at Sgwd yr Eira. Hwn o bosib yw'r sgwd mwyaf dramatig yn yr ardal, ac mae'n bosib i chi gerdded y tu ôl i'r dŵr ar hyd llwybr a arferai fod yn llwybr porthmyn defaid. Erbyn heddiw mae'r graig wedi ei gwisgo a'i herydu, ac mae'n medru bod yn llithrig dan draed. Mae'r llwybr wedyn yn eich arwain at Sgydau Clungwyn, ac mae'r rhain wedi eu marcio gan arwyddbyst ar hyd y llwybrau.

Rhaeadr arall o ddiddordeb yw Rhaeadr Melin-cwrt yn Resolfen, Castell-nedd. Gellir ei chyrraedd drwy ddilyn y B4434 o Resolfen i Tonna, ac mae hi oddeutu milltir i'r de o Resolfen. Ceir maes parcio cyfleus yma a gellir dechrau cerdded ar hyd y llwybr sydd gyferbyn. Mae'r rhaeadr ei hun oddeutu wyth deg troedfedd o uchder; fe'i ffurfir wrth i nant o'r afon Nedd lifo dros y graig, ac mae'n enwog am i Turner ei phaentio yn 1794. Erbyn heddiw, mae ardal y rhaeadr yn Warchodfa Natur dan ofal Ymddiriedolaeth Bywyd Gwyllt Morgannwg. Gan fod y cynefin yma'n wlyb a llaith mae ugain math o redyn yn tyfu yma. Mae hefyd yn gartref i adar megis bronwen y dŵr, siglen lwyd a'r gwybedog brith. Ar ochr ddwyreiniol y warchodfa gellir gweld olion gweithfeydd haearn a hen ffwrnais. Agorwyd y gweithfeydd haearn hyn yn 1708, a bu'n cynhyrchu haearn am gyfnod o gan mlynedd.

I'r rheiny sydd â gwir ddiddordeb mewn rhaeadrau mae hefyd yn werth i chwi ymweld â Rhaeadr Henryd yn Coelbren sydd oddi ar yr A4067. Mae'r safle o dan reolaeth Yr Ymddiriedolaeth Genedlaethol. Yma gellir gweld rhaeadr uchaf De Cymru wrth i nant Llech ddisgyn dros ochr y dibyn ac ymuno â'r Tawe yn y ceunant islaw. Mae'r safle'n werth ymweld ag ef, yn enwedig yn dilyn glaw trwm, sy'n gwneud i'r dŵr greu ewyn wrth iddo ddisgyn. Atyniad arall y rhaeadr yw'r ffaith eich bod yn medru cerdded y tu ôl i'r rhaeadr, ond mae'n rhaid bod yn ofalus, a gwisgo esgidiau a dillad addas.

Eglwysi a Chapeli

Does dim prinder o safleoedd eglwysi a chapeli pa reswm bynnag eich ymweliad â hwy – i edrych ar bensaernïaeth, ymweld â'r safle er mwyn darganfod hanes a chreiriau hanesyddol neu os am gyfle i fynwenta yn yr amrywiaeth eang sydd yn yr ardal. Dyddia safleoedd Cristionogol y broydd yn ôl dros gyfnod o bymtheg canrif, ac mae rhai o'r adeiladau Cristionogol yn dyddio'n ôl dros saith gan mlynedd. Dim ond adeiladau syml Celtaidd oedd ar rai o'r safleoedd, ond gyda threigl amser defnyddid cerrig i ychwanegu atynt. Cysegrwyd nifer o safleoedd i seintiau Celtaidd, a chyfeirir at nifer ohonynt yn *Llyfr Llandaf.* Yn yr oes a fu roedd yr eglwysi a'r capeli diweddarach yn ganolfannau cyfarfod pwysig i'r cymunedau lleol, ond erbyn heddiw mae llawer o'r safleoedd yn angof i lawer.

Un o'r llefydd gorau i ymweld ag eglwysi yn yr ardal yw Gŵyr. Gellir dilyn llwybr deugain milltir o hyd er mwyn ymweld â nifer ohonynt, ond mae'n bosib trefnu teithiau llawer byrrach ar liwt eich hun.

Eglwys yr Holl Saint, Ystumllwynarth

Ceir cyfeiriadau at eglwys yn Ystumllwynarth mewn darn ysgrifenedig yn dyddio o'r nawfed ganrif. Credir bod yr eglwys wedi ei hadeiladu ar safle Rhufeinig. Estynnwyd maint yr eglwys yn 1860. Tu mewn iddi gellir gweld mosäig Rhufeinig, bedyddfaen hynafol a philer pisgina.

Eglwys Teilo Sant, Llandeilo Ferwallt

Gellir olrhain hanes y safle hwn yn ôl i oddeutu 480 OC. Mae'r adeilad carreg presennol yn dyddio o'r ddeuddegfed a'r drydedd ganrif ar ddeg. I'r de o'r eglwys ceir croes garreg sy'n dyddio o'r Canol Oesoedd. Fe ddaeth y cloc sydd yn y tŵr o hen fragdy yn Abertawe yn 1886 ac mae'r ddwy gloch yn dyddio o 1713 a 1714. Yn ystod gwaith cynnal a chadw yn 1927 darganfuwyd gwaith coed derw a adeiladwyd yn ystod y bymthegfed ganrif. Ceir nifer o ffenestri lliw yn yr eglwys. Mae Ffenestr y Mileniwm yn dangos safleoedd addoli yn y pentref. Gellir cael allwedd i fynd i mewn i'r eglwys o Westy'r *Winston* sydd gerllaw.

Eglwys Santes Fair, Pennard

Ar un adeg safai eglwys yn agos i gastell Pennard ond fe'i gorchuddiwyd gan dywod. Credir bod yr adeilad presennol yn dyddio'n ôl i'r drydedd ganrif ar ddeg, ac mae ynddi ffenestr liw sy'n dathlu'r mileniwm. Ceir plac y tu mewn i'r eglwys er cof am Vernon Watkins ac yn y fynwent y mae bardd arall, Harri Webb, wedi ei gladdu. Mae'r eglwys ar agor yn ddyddiol hyd yr hwyrnos.

Eglwys Sant Ioan Fedyddiwr, Pen-maen

Credir bod yr eglwys wreiddiol yn arfer sefyll ar fryn cyfagos. Bu'r safle'n eiddo i Farchogion Sant Ioan rhwng 1230 a 1540. Adnewyddwyd yr eglwys yn ystod y bedwaredd ganrif ar bymtheg. Yn ystod y gwaith adnewyddu daethpwyd o hyd i garreg linarch yn dyddio o'r ail ganrif ar bymtheg a oedd yn olrhain achau yn ôl i gyfnod cyn-

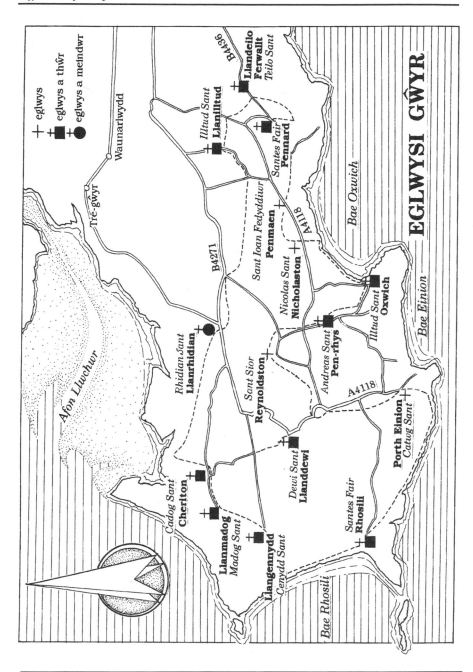

Normanaidd. Mae'r garreg wedi ei gosod yn un o'r waliau heddiw. Er mwyn ymweld â'r eglwys ffoniwch (01792) 371241.

Eglwys Nicolas Sant, Nicholaston

Credir bod yr eglwys yma'n dyddio'n ôl i'r bedwaredd ganrif ar ddeg. Daethpwyd o hyd i garreg fedd o'r Canol Oesoedd ar y safle ac mae hon i'w gweld yn y cyntedd heddiw. Ailadeiladwyd yr eglwys yn 1894, ac fe'i haddurnwyd yn null rhwysgfawr oes Fictoria, ond ychydig iawn o'r addurniadau gwreiddiol sydd wedi goroesi. Er mwyn ymweld â'r eglwys ffoniwch (01792) 371241.

Eglwys Sant Siôr, Reynoldston

Honnir i'r eglwys hon gael ei sylfaenu gan Syr Reginald de Breos (m. 1221). Adnewyddwyd yr adeilad yn sylweddol yn ystod y bedwaredd ganrif ar bymtheg. Ynddi gellir gweld croes golofn o'r ddegfed ganrif a ddarganfuwyd ar ochr y ffordd yn Stouthall. Mae'r eglwys ar agor yn ystod mis Awst, ac ar adegau eraill gellir trefnu i ymweld â hi drwy gysylltu â (01792) 391436 neu (01792) 391073.

Eglwys Dewi Sant, Llanddewi

Mae'r eglwys hon wedi ei chysegru i Dewi Sant, a chredir iddi gael ei hadeiladu gan Henry de Gower, esgob Tyddewi 1328-1347. Yn ôl rhai, adeiladwyd y gangell fel ei bod yn gwyro tua'r de er mwyn atgoffa'r addolwyr fod Crist wedi gorffwys ei ben i un ochr pan groeshoeliwyd ef. Gwydr clir sydd i'r ffenestri, ac mae hyn yn eich galluogi i gael golygfeydd gwych o'r wlad o amgylch.

Gellir gweld sawl carreg goffa yma ac mae'r hynaf yn dyddio'n ôl i 1737 ac yn coffáu'r Parchedig Silvanus Prosser, ficer Llanddewi. Ceir un gloch yn y tŵr, a honnir mai hon yw'r fwyaf ei maint a'r mwyaf swnllyd yng Ngŵyr. Mae'r eglwys ar agor o'r Pasg hyd at ddiwedd mis Hydref.

Eglwys Catwg Sant, Porth Eynon

Sefydlwyd yr eglwys yma yn ystod y chweched ganrif gan un o genhadon Sant Catwg Sant yng Ngŵyr, sef Cenydd Sant. Mae'r adeilad presennol yn dyddio'n ôl i'r ddeuddegfed ganrif, a dyddia'r fynedfa'n ôl i oes y Normaniaid. Credir bod y diodlestr i ddal dŵr sanctaidd wedi ei roi i'r eglwys gan gapten llong Sbaenaidd ar ôl iddynt gael eu hachub o'r môr gerllaw. Yn y fynwent ceir carreg goffa i griw bad achub 'Janet' a foddodd yn 1916. Ceir nifer o gerrig coffa eraill y tu mewn i'r eglwys yn ogystal â nifer o ffenestri lliw. Mae'r eglwys ar agor o'r Pasg hyd ddiwedd mis Hydref.

Eglwys Santes Fair, Rhosili

Adeiladwyd yr eglwys hon gan fewnfudwyr oddeutu 1200. Mae'n edrych i lawr ar fae Rhosili a Pen y Pyrhod. Gwelir deial haul wrth ddrws y fynedfa. Awgryma rhai ei fod wedi ei symud o eglwys gynharach a gladdwyd gan y twyni tywod islaw. Ceir nifer o ffenestri lliw yma yn ogystal â 'ffenestr y gwahanglwyf'. Y tu allan i'r eglwys mae cofeb i Edgar Evans a fu farw gyda Capten Scott yn yr Antarctig yn 1912 ac mae rhai o'r cerrig beddi'n dyddio'n ôl i 1784. Mae'r eglwys ar agor o'r Pasg hyd ddiwedd mis Hydref.

Eglwys Cenydd Sant, Llangynydd

Dyma'r eglwys fwyaf yng Ngŵyr. Fe'i sefydlwyd gan Cenydd Sant yn ystod y chweched ganrif, ond llosgwyd yr adeilad gwreiddiol gan y Llychlynwyr yn ystod y ddegfed ganrif. Y tu mewn iddi gellir gweld carreg yr honnir iddi fod yn glawr cist claddu Cenydd Sant. Ceir yma hefyd gerfddelw o farchog De Le Mare sy'n dyddio'n ôl i'r drydedd ganrif ar ddeg. Os yw'r tywydd yn ffafriol gellir ymweld â Burry Holm lle ceir olion eglwys Geltaidd bren – yr unig enghraifft a ddarganfuwyd yng Nghymru. Yn y fynwent gellir gweld bedd Phil Tanner – canwr gwerin lleol a arferai ganu yn y *King's Head* gerllaw. Gellir cael allwedd yr eglwys o siop *P.J. Surf* sydd i'r dde o'r eglwys neu gallwch ffonio (01792) 386308.

Eglwys Madog Sant, Llanmadog

Eglwys a gysegrwyd i Madog Sant ydyw hon, ac fe'i sefydlwyd yn ystod y chweched ganrif. Dyddia'r adeilad ei hun yn ôl i'r drydedd ganrif ar ddeg, ac fe'i hadnewyddwyd yn 1865. Tu mewn iddi ceir carreg a ddarganfuwyd yn 1861; credir ei bod yn dod o'r chweched ganrif, ac arni ceir yr arysgrif 'Advenctus mab Guanus'. Ceir hefyd groes golofn a charreg ffin sy'n dyddio o gyfnod y seithfed i'r nawfed ganrif. Gellir cael allwedd yr eglwys o siop Llanmadog drwy gydol y flwyddyn.

Eglwys Cadog Sant, Cheriton

Cyfeirir at yr eglwys yma fel 'Cadeirlan Gŵyr' a chredir iddi gael ei hadeiladu yn ystod y bedwaredd ganrif ar ddeg. Cerfiwyd sawl darn o'r gwaith coed sydd ynddi gan J.D. Davies a oedd yn hanesydd lleol, ac ar un adeg yn Ficer Llangynydd. Gorwedd ei weddillion ym mynwent Cheriton ynghyd â gweddillion Ernest Jones, disgybl a chofiannydd Sigmund Freud. Gellir cael allwedd i'r eglwys o siop Llanmadog trwy gydol y flwyddyn.

Eglwys Rhidian Sant ac Illtud Sant, Llanrhidian

Mae'n debygol bod y 'llan' gwreiddiol wedi bodoli ers y chweched ganrif. Dyddia'r adeilad presennol o'r drydedd ganrif ar ddeg, ond gwnaed ychwanegiadau megis y tŵr yn ystod y bedwaredd ganrif ar ddeg. Ar ben ochr orllewinol y tŵr ceir carreg fawr a elwir yn 'Blocyn y Person', a chredir iddi unwaith fod yn garreg begwn ar gyfer rhybuddio'r trigolion lleol bod gelynion yn nesáu o'r môr neu ar y tir. Yn y cyntedd ceir olion 'carreg y gwahanglwyf' sef carreg ac arni gerfiadau o ffurfiau anifeiliaid a dynion. Credir bod y garreg yn dyddio o gyfnod y Llychlynwyr (oddeutu'r nawfed neu'r ddegfed ganrif). Ar y glaswellt y tu allan i'r eglwys ceir olion croes a elwir yn 'Garreg Gwawd' neu 'Garreg Chwipio'. Gellir cael allwedd i'r eglwys o orsaf betrol Heron's Way.

Eglwys Illtud Sant, Llanilltud Gŵyr

Tarddodd yr eglwys yma o gell fynachaidd yn ystod y chweched ganrif. Dyddia'r adeiladwaith presennol o'r drydedd ganrif ar ddeg. Fel rhan o ddathliadau'r Mileniwm ailagorwyd y tŵr a'i gynnwys yn rhan o gapel bach. Nodwedd arall yr eglwys yw'r tair cloch. Mae'r ddwy a genir heddiw'n dyddio o 1716 tra bo'r drydedd yn dyddio o'r bymthegfed ganrif. Credir bod yr ywen sydd yn y fynwent mor hen â'r eglwys.

Mae'r eglwys ar agor o'r Pasg hyd ddiwedd mis Hydref.

Ymysg rhai o eglwysi a chapeli eraill y broydd gellir ymweld ag **Eglwys Llangyfelach**. Yma, gwelir bod y tŵr yn sefyll ar wahân i'r eglwys. Yn ôl y traddodiad, dywedir bod y diafol wedi ceisio dwyn y tŵr ond ei fod wedi ei ddal gan ficer, ac yn ei ddychryn wedi gollwng gafael ynddo yn y fan a'r lle. Yn ôl tystiolaeth, mae'n debyg i'r eglwys wreiddiol gael ei dymchwel mewn storm yn ystod cyfnod y rhyfeloedd Napoleanaidd a bod y plwyfolion wedi adeiladu eglwys newydd ar safle sgubor ddegwm. O ganlyniad i wahanu'r eglwys a'r tŵr arferai gweithwyr tir yr ardal ganu'r triban:

Mae Llangyfelach hynod
Yn ddigon hawdd ei nabod
Mae'r eglwys draw a'r clochdy fry
Pa bryd wna rhain gyfarfod?

Jôc arall ar lafar gwlad oedd gofyn y cwestiwn, 'Pwy oedd yr Ymneilltuwr cyntaf yng Nghymru?' a'r ateb a roddwyd oedd 'Clochdy Llangyfelach'. Yn y fynwent ceir croesfaen sy'n dyddio o'r ddeuddegfed ganrif, ac yn ystod gwaith cloddio yn 1913 daethpwyd o hyd i garreg â'r arysgrif CRUX XPI arni, a chredir bod hon yn dyddio o'r nawfed ganrif.

Mae'n werth ymweld ag **Eglwys Sant Pedr**, Pontardawe gan mai hon yw'r eglwys sydd gyda'r tŵr uchaf yn ne Cymru – mesura 197 troedfedd a naw modfedd ac mae'n cael ei oleuo gan lifoleuadau yn ystod y nos. Dechreuwyd ar y gwaith ailadeiladu yn 1838, ac fe'i cwblhawyd yn 1860.

Eglwys Cilybebyll. Adeiladwyd yr eglwys bresennol yn 1869, ond mae'r tŵr yn rhan o adeilad cynharach. Dim ond lle i 130 o bobl sydd y tu mewn i'r adeilad. Hyd at 1825 roedd hi'n arferiad i ddarllen *Llyfr Chwareuon* o'r pulpud, ac yn dilyn yr oedfa arferid chwarae pêl yn erbyn y tŵr. Rhoddwyd diwedd ar yr arferiad yma yn 1840. Yn y fynwent ceir sylfaen croes o'r Canol Oesoedd.

Eglwys Llan-giwg. Mae'r eglwys hon wedi ei hadeiladu 688 troedfedd uwchlaw lefel y môr. Ceir 'ffenestr gwahanglwyf' ar y wal ddwyreiniol. Arferid chwarae pêl yn erbyn y tŵr yn dilyn yr oedfa yno a byddai'r chwaraewyr yn mynd i dafarn y *Maendy* gerllaw. Gellir gweld olion y *Maendy* ar ochr ddwyreiniol y fynwent.

Capel Crwn, Margam. Un o adeiladau crefyddol mwyaf diddorol y broydd o bosib yw'r Capel Crwn yng Ngerddi'r Tollborth, Margam. Adeiladwyd y capel gwreiddiol yn 1838 ym mhentref Groes, ac fe'i dymchwelwyd er mwyn creu gwely i'r M4. Tynnwyd y capel i lawr fricsen wrth fricsen cyn ei symud a'i ailadeiladu ar y safle presennol. Adeiladwyd yr un gwreiddiol gan aelod o deulu'r Talbot, ac addawodd yntau i roi'r holl ddefnydd i'w adeiladu am ddim ar yr amod bod y capel yn cael ei adeiladu yn ôl ei gynllun ei hun. Yn ôl traddodiad, dywedir i'r cynllunydd weld adeilad wythonglog ar y cyfandir, a'i ddymuniad oedd cael adeilad cyffelyb ar ei stâd ei hun. Ailagorwyd y capel ar 22 Ebrill, 1976. Mae'r adeilad o ddiddordeb pensaernïol gyda'i ffenestri a'i siâp wythonglog, ac ar lafar gwlad credir bod y capel wedi ei adeiladu'n grwn er mwyn sicrhau nad oedd y diafol yn medru cuddio yn yr un gornel.

Wrth ymweld ag **Eglwys y Santes Fair**, Aberafan gellir gweld bedd a chofeb i Richard Lewis (Dic Penderyn) sy'n coffáu'r merthyr a grogwyd yng Nghaerdydd wedi iddo gael ei gyhuddo ar gam o anafu milwr yn ystod terfysg Merthyr Tudful ym mis Mehefin 1831. Dadorchuddiwyd y gofeb iddo ar ddechrau'r 1970au, ac mae i'w gweld wrth gyntedd yr eglwys.

Adfail diddorol wrth ymyl Parc Margam yw adfeilion **Capel Mair**, sydd hefyd yn cael ei alw yn Hen Eglwys. Yn lleol, gelwir yr adeilad yn Capel y Papishod (ffurf Gymraeg ar *Papists*). Credir i'r capel gael ei adeiladu cyn 1470 fel safle addoli i'r ffermwyr a'r werin leol nad oedd yn medru addoli yn Abaty Margam.

O'u cymharu â'r eglwysi mae capeli'r ymneilltuwyr yn foel eu pensaernïaeth, ond ceir sawl capel a safle sy'n werth ymweld â hwy, yn enwedig yng Nghwm Tawe. Cysylltwyd Capel Seion y Glais â T.E. Nicholas neu Niclas y Glais. Yn ystod ei gyfnod yn y Glais fe gyfansoddodd Niclas gyfrolau megis *Salmau'r Werin* a *Cerddi Rhyddid* – cyfrolau a oedd yn ôl Gwenallt yn cynnwys 'y canu gwerinol . . . ei ganu gwreiddiol, didwyll arbennig ef'. Fe'i carcharwyd yng ngharchar Abertawe am gyfnod neu, fel y dywedodd yn ei eiriau ei hun 'rhoddodd y Brenin Siôr VI bedwar mis o wyliau imi'n rhad ac am ddim, a rhoddais innau ddwy gyfrol o farddoniaeth i'm gwerin yn dâl am hynny'. Y ddwy gyfrol yma oedd *Llygad y Drws* a *Canu'r Carchar*. Mae lle i 400 o bobl tu mewn i Gapel Seion. Yn y fynwent mae bedd dau o feibion y Glais – William Rogers ac Evan Davies a foddodd yn nhrychineb y Titanic yn 1912.

Ar ucheldir Cwm Tawe ceir tri chapel hanesyddol ac mae'n werth yr ymdrech i ymweld â hwy. Mae'r tri chapel mewn safleoedd sy'n cynnig golygfeydd godidog i lawr y cwm. Y safle cyntaf yw **Capel Gellionen** neu ar lafar gwlad 'y Capel Gwyn' a gafodd ei adeiladu yn 1692 ar dir fferm Alltyfanog. Ailadeiladwyd y capel a berthynai i enwad yr Undodiaid yn 1801 gan y Parch. Josiah Rees wedi iddo weinidogaethu'r eglwys am bron i ddeugain mlynedd. Er bod y capel mewn lle diarffordd, yr oedd ar un adeg yn ganolfan i'r rhai oedd yn cyrraedd yno ar droed neu ar gefn ceffyl. Agorwyd capel mwy cyfleus yn ddiweddarach yn Nhrebannws. Yr ail safle yw **Capel y Baran** a arferai fod yn gangen o Gapel Gellionen ond a ddaeth yn ddiweddarach dan ofalaeth yr Annibynwyr yn 1805. Roedd 181 o aelodau yno yn 1841 ac mae nifer fawr o deuluoedd lleol wedi eu claddu yn ei fynwent. Cred rhai bod yr enw Baran yn tarddu o Paran, sef anialwch a gyrhaeddwyd o gyfeiriad anialwch Sinai lle daeth Dafydd yn dilyn marwolaeth Samuel: 'A Dafydd a gyfododd ac a aeth i waered i anialwch Paran' (1 Samuel 25:1).

Y trydydd capel yw **Capel y Gwryd** (Annibynwyr) a adeiladwyd ar gost o £350 yn 1856 ar grib unig Cefn Gwryd. Estynnwyd yr adeilad yn 1905.

Ffynhonnau

Ceir amryw o ffynhonnau yn y broydd sydd o ddiddordeb. Mae sawl tŷ, fferm neu gae yn dwyn enw ffynnon yn yr ardal, ac fel arfer mae'r llefydd yma'n gysylltiedig neu'n agos at ffynnon o ryw fath. Y ffynhonnau oedd ar un adeg yn darparu'r cyflenwad dŵr i'r gymuned, ac nid oes ryfedd bod cysylltiad agos rhwng rhai ffynhonnau a datblygiad y gymuned leol. Yn ogystal, roedd amryw ohonynt yn safleoedd crefyddol; cysylltir rhai â sant o bwys, ac mewn amser daethant yn safleoedd ofergoelion a meddyginiaeth. Erbyn heddiw mae rhai o'r ffynhonnau wedi diflannu oherwydd esgeulustod ar hyd y blynyddoedd, tra bod safleoedd eraill yn anodd i'w cyrraedd. Ar y llaw arall, gwnaed ymdrech mewn rhai ardaloedd i ddiogelu a gwella'r safleoedd. Roedd yn arferiad i ymweld â Ffynnon Baglan ar ddyddiadau penodedig yn ystod y bedwaredd ganrif ar bymtheg. Oddeutu diwedd yr ail ganrif ar bymtheg cyfeiriodd Anthony Thomas o Neuadd Baglan at yr arferiad o ymweld â'r ffynnon fel hyn:

> Under the north w. part of the said Mynidd dinas is a small spring, in former ages they say of much vertue, & now of late much frequented being found something beneficiall in curing children that have rickets. 'Tis resorted unto for Three thursdayes in May, Ascension day to be one w'thout faile.

Cofnodwyd yr arfer o olchi yn y dŵr mewn triban, fel hyn:

> Mi wela Ffynnon Baclan
> A'r ferch fonheddig ddiddan
> Yn plethu llaw mewn dwfr byw
> Ei gwallt 'run lliw â'r arian.

Ar un adeg roedd dwy ffynnon yn ardal Llangyfelach, Ffynnon y Fil Feibion a Ffynnon Ddewi. Yn ei lyfr *Historical Gower* dywed P. Davies:

> . . . Just off the road leading north from the church is Ffynnon y Fil Feibion, once enclosed by four large slabs, but now only one remains and the spring is densley overgrown. The other well, dedicated to St David is in a marshy valley, south west of the church and although overgrown still gives a plentiful supply of water.

Gwir yw geiriau'r awdur, oherwydd dim ond y mwyaf mentrus ddylai geisio ymweld â Ffynnon Ddewi gan ei bod mewn tir corslyd iawn, a'r cyfan sydd yno yw ychydig o gerrig wedi eu chwalu yma ac acw. Mae Ffynnon y Fil Feibion yn coffáu'r mil diniwed a laddwyd gan Herod yn hanes y Testament Newydd. Nodir y safle gan garreg enfawr ond bellach mae tyfiant toreithiog yn ei gwneud yn amhosib i weld dŵr y ffynnon.

Mae nifer o ffynhonnau Gŵyr wedi diflannu dros y blynyddoedd – un ai oherwydd difaterwch neu oherwydd newid yn y cynefin neu ddefnydd tir. Serch hynny, mae dwy ffynnon sydd yn werth eu gweld, sef Ffynnon Llangynydd a Ffynnon y Drindod, Llanilltud Gŵyr. Saif Ffynnon Cenydd Sant yn Llangynydd. Ffynnon seml ydyw, sydd wedi ei hamgylchynu â gwaith cerrig gyda phibell fetel yn cyfeirio'r dŵr tua'r llawr. Ar un adeg roedd carreg ar ben y ffynnon gyda chroes gerfiedig arni ond gyda threigl amser ac effaith y tywydd diflannodd y gwaith hwn. Yn ei gyfrol *A History of West Gower 1877-94* dywed J.D. Davies fod y ffynnon wedi ei hamgylchynu â cherrig mawr a bod capfaen arni i arbed anifeiliaid rhag llygru'r dŵr. Nid oes unrhyw draddodiadau'n gysylltiedig â'r ffynnon ond fe ddefnyddir y dŵr mewn bedydd yn yr eglwys. O fewn chwarter milltir i'r ffynnon hon tua'r de ceir ffynnon arall sef Ffynnon y Gigfran. Tybiodd J.D. Davies fod cysylltiad rhyngddi a'r cyfnod pan fu'r Llychlynwyr yn yr ardal, ac mai dyma yw arwyddocâd ei henw. Saif wrth droed Twyni Harding sef safle tair caer o'r Oes Haearn. Yn anffodus, ymddengys mai di-nod yr ystyrir y safle heddiw gan fod y gwaith carreg wedi ei chwalu er gwaetha'r ffaith fod ffrwd y dŵr yn parhau i lifo'n gryf.

Saif Ffynnon y Drindod ar safle eglwys gyntaf y Bedyddwyr yng Nghymru. Cysylltir y lle â Cenydd Sant (m. 587) a Theilo Sant (560). Y rheswm pennaf i'r Bedyddwyr ddewis y safle ar gyfer eu haddoliad oedd y ffrwd o ddŵr sy'n tarddu o dan y capel. Mae'n ffrwd gref iawn ac yn angenrheidiol ar gyfer darparu digon o wlybaniaeth i'r trochfeydd – yn enwedig gan eu bod mewn ardal lle mae'r cyflenwad dŵr yn isel (mae hyn am fod cyfansoddiad y graig danddaearol o galchfaen). Mae'r ffynnon mewn safle tawel a phrydferth, ac mae'n bosib ei chyrraedd yn eithaf hawdd gan fod llwybr cyfleus yn arwain ati. Mae yno awyrgylch heddychlon, cysegredig ac mae'n hawdd ymdeimlo hyn ar ddiwrnod distaw. Credid bod y dŵr yn ddefnyddiol ar gyfer gwella anhwylder y llygaid, ac mae pobl yn parhau i gyrchu yma i'r perwyl hwnnw. Dadorchuddiwyd plac ar y safle ar 13 Mehefin, 1929 gan Lloyd George yn dwyn y geiriau:

> *To commemorate the foundation in this valley of the first Baptist church in Wales 1649-60.*

Gellir cyrraedd y fan trwy ddilyn y ffordd tua'r gorllewin o Abertawe ar hyd yr A4118 i Gŵyr. Ger pentref Parkmill gwelir tafarn y *Gower Inn* ar y dde, a rhwng y dafarn a nant Illtud mae llwybr cyhoeddus sy'n arwain at y safle. Gellir cyrraedd y capel ar ôl pum munud o gerdded. Mae'r safle i'r dde o'r llwybr wedi i chi groesi ail bont droed ar y llwybr.

Ym Mhentrecaseg ceir olion Eglwys a Ffynnon Farged, un o hoff seintiau'r Normaniaid. Dinistriwyd y ffynnon pan aethpwyd ati i osod pibellau ar gyfer Purfa Olew Llandarsi. Honnir mai Santes merched beichiog oedd Marged, ac roedd yn arferiad i addurno'r coed o gwmpas y ffynnon gan ferched a ddymunai gael erthyliad naturiol. Dyma'r penillion arferid eu canu ger y ffynnon:

> Mi es at Ffynnon Farged
> Gan ofni am fy nghyned
> Nid oes mo'r eglwys ar y twyn
> Na dwfwr swyn yn cerdded.

> Ysgubwyd yr hen greirfa
> Mae'n agos iawn i'r tonnau
> A'r ffynnon? Dagrau'r santes bur
> Sy'n treiglo i'r rhigola.

Mae'n siŵr mai ffynnon hynotaf y broydd yw Ffynnon Cwm-twrch. Cyflwynwyd hon, ynghyd â'r tir o'i chwmpas yn rhodd i'r cyhoedd gan

Colonel Fleming Gough fel arwydd o heddwch ar ddiwedd y Rhyfel Mawr. Dywedir bod y ffynnon hon wedi bod yn rhaeadru ei dyfroedd grisialaidd a sawrus ers dros gan mlynedd. Yn ystod saithdegau'r ddeunawfed ganrif anfonodd y Dr D. Thomas, Ystalyfera, sampl o'r dŵr at y fferyllwyr i wneud dadansoddiad ohono. O'r prawf hwnnw cafwyd tystiolaeth bod:

yn y dŵr elfennau meddyginiaethol at amryw ddoluriau, ei fod yn gyflawn o sylffwr a'i fod yn anffaeledig i wella pob math o afiechydon ac yn gynhorthwy i waredu'r corff o asid iwrig gormodol yn y gwaed.

Yn 1933 mewn adroddiad ar Ffynnon Cwm-twrch cyfeiriodd Dr W.J. Lewis, Swyddog Iechyd yr ardal at y dŵr fel hyn:

It is an alkaline Sulphur spring, cool in summer and relitavely warm in winter . . . It has a great reputation for its healing virtues-especially in skin disease (chronic eczema and psoriasis) bad complexions, Rheumatism, Neuritis, Piles and Gravel, Scrofulous glands and other complaints.

O'r ddau ddisgrifiad yma gellir gweld mai dŵr sylffwr sy'n tarddu ohoni. O ganlyniad, wrth nesáu at y ffynnon gellir arogli gwynt tebyg i fom drewi. Does dim rhyfedd felly i'r ffynnon gael ei galw ar lafar gwlad yn 'y Ffynnon Ddrewllyd' neu'r 'Ffynnon Gnec'! Bu bri mawr ar y ffynnon o 1880 ymlaen. Cyrchodd llawer yno i gynnal cyfarfodydd crefyddol, cymanfaoedd canu a chynhaliwyd Eisteddfod

fawreddog ger y ffynnon, Llungwyn 1896. Yno hefyd yr aeth William Abraham (Mabon), llywydd cyntaf Glowyr De Cymru i hawlio gwell amodau i'r glowyr gyda'r slogan bachog *'an hour off the day, not a penny off the pay'*. Yn ôl tystiolaeth o 1912 dywedir bod amryw yn cyrchu'n flynyddol o siroedd Caerfyrddin a Cheredigion at y ffynnon a bod cannoedd yn ymweld â hi yn ystod yr haf o ardaloedd Ystradgynlais, Ystalyfera a Chwmllynfell. Dros y blynyddoedd bu dirywiad yng nghyflwr y ffynnon ond yn 1993 adnewyddwyd hi am gost o £6,000 a'i gwneud yn llecyn delfrydol i dreulio ennyd. Erbyn heddiw mae hi yng ngofal Cyngor Cymuned Ystalyfera. Mae nifer o drigolion lleol boed hen neu ifanc yn tystiolaethu i werth rhinweddol y dŵr. Cred rhai fod ynddo rinwedd i atal moelni a gwynegon, tra bod eraill yn credu ei fod yn dda i'r ysgyfaint. Rhai blynyddoedd yn ôl honnodd cynghorydd lleol fod yn y dŵr elfennau i gynyddu ffrwythlondeb merched. Yr unig beth a ddywedwyd o du'r arbenigwyr a arbrofodd ar y dŵr ar y pryd oedd ei fod yn 'ddiogel i'w yfed'. Yn ei adroddiad yn 1933 dywedodd Dr Lewis fod yn rhaid yfed y dŵr ar dir y ffynnon er mwyn cael unrhyw lesâd ohono. Oherwydd yr arogl sylffwr mae rhai yn amharod iawn i'w flasu ond dywed gwraig leol mai'r ffordd orau i gael gwared o'r 'cwt' (adflas) yw yfed y dŵr gyda chwisgi! Iechyd da i chi os byddwch yn ymweld â'r safle! Gyda llaw ceir tafarn o'r enw *Y Ffynnon* o fewn tafliad carreg i'r safle.

Cestyll

Cyrhaeddodd y Normaniaid diroedd Morgannwg yn ystod yr unfed ganrif ar ddeg. Aethant ati i adeiladu cestyll yn fuan iawn er mwyn diogelu ac amddiffyn y tiroedd yr oeddynt wedi eu hennill oddi wrth yr arglwyddi Cymreig. Ar hyd y canrifoedd mae'r cestyll hyn wedi aros nid yn unig fel symbolau o ormes a chasineb ond hefyd fel arwyddion parhaol o fedr a gallu milwrol. Er mai adeiladau cerrig ysblennydd a welir ar y safleoedd erbyn heddiw, mae'n rhaid ystyried mai adeiladau digon syml wedi eu gwneud allan o bridd a choed oedd yma ar y dechrau. Dim ond yn ystod cyfnod diweddarach yr adeiladwyd y cestyll o gerrig. Mae'n siŵr bod rhai ohonynt wedi eu hadeiladu ar gynllun newydd a bod eraill wedi eu hymestyn yn sylweddol.

Er nad oes castell yn yr ardal y gellir ei gymharu â'r cestyll ysblennydd sydd i'w gweld yng ngogledd Cymru, mae yna ddigon o nodweddion a safleoedd sydd o ddiddordeb i ymwelwyr.

Adeiladwyd y castell cyntaf yn Llwchwr (SS564980) yn ystod y ddeuddegfed ganrif ar safle hen gaer Rufeinig. Cynhwysai'r adeilad gwreiddiol fancyn o bridd gyda chledrwaith ar y copa. Ymosodwyd ar y safle gan y Cymry oddeutu 1150, ond ychwanegwyd at yr adeilad yn ddiweddarach wrth i wal a thŵr petryal gael eu hadeiladu ar un ochr. Pwrpas strategol y safle oedd amddiffyn mynediad i Gŵyr o gyfeiriad y gorllewin.

Ar y llaw arall roedd castell Abertawe (SS657931) yn amddiffyn Gŵyr o gyfeiriad y dwyrain. Adeiladwyd castell ar y safle hwn yn ystod y ddeuddegfed ganrif. Dim ond tomen o bridd wedi ei adeiladu i'r gogledd o'r safle presennol oedd yma'n wreiddiol. Ymosodwyd ar y castell ar sawl achlysur, ac o ganlyniad, adeiladwyd adeilad o garreg yno yn ystod y drydedd ganrif ar ddeg. Dinistriwyd yr adeilad yn 1215 gan Llewelyn Fawr ond adeiladwyd castell mwy sylweddol a oedd yn cynnwys safle byw yn ystod y drydedd a'r bedwaredd ganrif ar ddeg. Adeiladwyd y murganllaw bwaog (sydd i'w weld hyd heddiw) gan Esgob Henri de Gower a fu hefyd yn gyfrifol am addurno Llys yr Esgob, Llandyfi, Dyfed. Defnyddiwyd y castell fel carchar yn ystod y ddeunawfed ganrif ac ailadeiladwyd rhai o'r waliau presennol yn ystod y cyfnod yma.

Pan laniodd y Normaniaid ar Gŵyr yn ystod y ddeuddegfed ganrif aethant ati i adeiladu cestyll o bridd a choed er mwyn amddiffyn eu tiroedd. Mae Castell Pen-maen (SS534882) yn enghraifft o'r cestyll cynnar. Ychydig iawn o newidiadau a gwelliannau a wnaed i'r safle; adeiladwyd wal sych o gwmpas yr adeilad, ond nid oes tystiolaeth bod waliau amddiffynnol wedi eu hadeiladu yno. Ni ddefnyddiwyd y safle ar ôl y drydedd ganrif ar ddeg.

Lleolir Castell Pennard (SS544885) ar graig uchel, ac efallai mai hwn yw castell mwyaf trawiadol yr ardal. Mae rhannau helaeth o'r waliau wedi eu diogelu ac felly maent mewn cyflwr eithaf da – yn enwedig ar yr ochr ddeheuol. Dyddia'r gwaith cerrig yn ôl i'r drydedd ganrif ar ddeg, ond credir mai castell pren oedd ar y safle'n wreiddiol. Yn ôl chwedloniaeth, dinistriwyd y castell a phentref cyfagos gan dywod yn sgîl storm dywod a ddigwyddodd fel cosb am gamweddau'r arglwydd Normanaidd, ac felly ni ddefnyddiwyd y castell ar ôl y bymthegfed ganrif. Mae'n dra thebygol mai meddiannu'r tir yn raddol dros gyfnod a wnaeth y tywod. Un o gestyll gorau'r ardal – ac yn sicr yr un sydd mewn safle gwych yw castell Ystumllwynarth (SS613883). Mae'r castell wedi ei adeiladu ar fryn sy'n edrych dros Fae Abertawe. Unwaith eto, mae'n debyg mai castell pren a adeiladwyd gan deulu'r de Londres (oedd hefyd yn berchen ar gastell Ogwr) oedd ar y safle'n wreiddiol. Dinistriwyd y castell hwnnw gan y Cymry yn ystod y drydedd ganrif ar ddeg. O gwmpas y cyfnod hwnnw adeiladwyd un arall o garreg gyda dau dŵr yn amddiffyn y gatws, a chredir bod y rhain wedi eu dinistrio gan Oliver Cromwell yn ystod y Rhyfel Cartref. Yn ystod mis Mehefin cynhelir Gŵyl Gwarchae Castell Ystumllwynarth. Fel rhan o'r dathliadau fe gynhelir gweithgareddau gan gynnwys saethyddiaeth, ymladd tir, arddangosfa ddrylliau, ffair grefftau a digrifweision o'r Canol Oesoedd, ac yn ogystal fe werthir gwinoedd a chwrw a oedd yn nodweddiadol o'r cyfnod hwnnw.

Ychydig iawn o Gastell Castellnedd (SS754978) sydd wedi goroesi. Adeiladwyd y castell carreg yn ystod y drydedd ganrif ar ddeg gan Richard de Granville a fu hefyd yn gyfrifol am adeiladu'r abaty gerllaw. Ymosodwyd ddwywaith ar y castell yn ystod y

drydedd ganrif ar deg, ac fe'i difrodwyd yn sylweddol yn 1321. Ailadeiladwyd y castell gyda thyrrau ar ffurf y llythyren 'D' gyda dau dŵr yn amddiffyn y gatws. Rhan o'r gwaith adeiladu diweddaraf yma yw'r nodweddion amlycaf sydd wedi goroesi hyd heddiw.

Ceir cyfeiriadau at Gastell Cynffig (SS801826) sy'n dyddio'n ôl mor bell â 1080. Roedd y castell yn rhan o Arglwyddiaeth Margam, a chredir bod y safle gwreiddiol yn mesur oddeutu wyth erw. Adeiladwyd y tŵr carreg yn 1185, a defnyddiwyd pridd i greu seler. Ymosodwyd ar y castell yn 1232 ac yn 1295, ond erbyn y bymthegfed ganrif nid ymosodiadau'r gelyn oedd y bygythiad pennaf, ond y tywod a oedd yn adennill y tir. Diflannodd eglwys y plwyf o dan y tywod yn ystod yr ail ganrif ar bymtheg, a chredir bod pentref cyfan o dan y tywod hefyd. Yn ôl chwedloniaeth mae'r pentref o dan ddyfroedd Pwll Cynffig, a hynny yn gosb am bechodau'r boblogaeth leol. Mae Pwll Cynffig erbyn heddiw yn warchodfa natur bwysig. Disgrifiwyd y safle gan yr hynafiaethwr Leland fel hyn:

> *. . . a little village on the east side of Kenfik and castel, booth in ruine and almost shokid and devourid with the sandes that the severn se ther castith up.*

Castell mwyaf Gŵyr yw Castell Pen-rhys (SS497885). Saif o fewn Parc Pen-rhys ar ben bancyn serth, ac mewn gwirionedd, maenordy yn hytrach na chastell ydyw. Yn ystod Rhyfeloedd y Rhosynnau bu'r castell yn eiddo i Phillip Mansel o Ben-rhys a fu'n gefnogwr brwd i achos y Lancastriaid.

Adeiladwyd Castell Weble (SS478928) gan deulu de la Bere ar ddechrau'r bedwaredd ganrif ar ddeg, ac fel yn achos castell Pen-rhys, nid castell yng ngwir ystyr y gair yw Weble, ond yn hytrach maenordy. Saif ar graig uchel yn edrych allan dros gors Llanrhidian. Mae'n adeilad sydd wedi ei ddiogelu ac sydd heddiw dan ofal CADW. Wrth grwydro o'i gwmpas ceir digon o dystiolaeth fod perchnogion y gorffennol wedi anelu at safon byw uchel gyda digon o foethusrwydd. Un o berchnogion Castell Weble yn ystod y bymthegfed ganrif oedd Syr Rhys ap Thomas a fu'n gynghreiriad i Harri'r seithfed. Gwnaed gwelliannau mawr i'r lle pan oedd dan berchnogaeth Syr Rhys ap Thomas yn cynnwys ychwanegu cyntedd dau lawr. Ymosodwyd ar y castell a gwnaed difrod sylweddol yn ystod Gwrthryfel Owain Glyndŵr. O fewn y castell ceir arddangosfa sy'n olrhain hanes a henebion Gŵyr. Castell tebyg i Castell Weble yw Castell Oxwich (SS498863). Unwaith eto, maenordy Tuduraidd wedi ei adeiladu ar ffurf cwrt yn hytrach na chastell yw'r safle. Adeiladwyd castell Oxwich yn ystod yr unfed ganrif ar bymtheg er mwyn darparu safle byw moethus i'r perchnogion, ond cafodd y castell gwreiddiol ei adeiladu gan Syr Rice Mansel gyda phorthdy ffug-filwrol. Yn ddiweddarach ychwanegodd ei fab, Syr Edward Mansel yr adain ddwyreiniol aml-lawr rhwng 1560 a 1580. Mae tŵr i'r de-ddwyrain wedi goroesi hyd heddiw, ac yma y darparwyd llety helaeth i'r teulu a'r holl weision. Byr iawn fu oes y castell ac mae'n debyg iddo ddadfeilio'n raddol ar ôl i deulu'r Mansel symud oddi yno yn

ystod y 1630au. Nodwedd ddiddorol arall o'r rhannau sydd wedi goroesi yw'r colomendy crwn sy'n sefyll y tu allan i'r muriau. Mae'r castell hwn hefyd dan ofal CADW.

Olion Diwydiannol

Mae'r broydd o fewn ardal sydd wedi dibynnu ar ddiwydiannau trwm dros gyfnod o sawl canrif. Erbyn heddiw, ychydig iawn o'r hen ddiwydiannau sydd ar ôl. Y gweithfeydd mwyaf amlwg heddiw yw Gwaith Dur Corus ym Margam a gwaith y Mond yng Nghlydach, ond nid yw'r un o'r rhain yn gweithio a chyflogi dynion i'r un graddau ag yr oedd y gweithfeydd gynt. Cau fu hanes y pyllau glo a'r gweithfeydd tun a chopr. Dim ond creithiau'r oes a fu sydd i'w gweld mewn rhai ardaloedd, ond mewn ardaloedd eraill gellir gweld sut mae'r oes fodern wedi manteisio ar y gorffennol, drwy un ai adennill y tirlun diwydiannol a'i droi'n safle menter, busnes a hamdden neu ar y llaw arall ddal gafael ar y safleoedd diwydiannol a'u troi'n atyniadau i ymwelwyr.

Ardal Cwm Tawe Isaf

Ar un adeg roedd ardal Cwm Tawe Isaf yn cael ei hystyried fel un o'r ardaloedd adfeiliedig gwaethaf ym Mhrydain, a hynny oherwydd yr holl weithfeydd a adawyd yn segur yn dilyn y gostyngiad yn y diwydiannau trwm. Dim ond ar ddiwedd y 1970au yr aethpwyd ati i lanhau a chlirio'r holl lanast diwydiannol a adawyd ar ôl. Mewn cerdd yn 1730 disgrifiwyd ardal yr Hafod fel hyn:

> *Delightful Havod, most serene abode,*
> *Thou sweet retreat, fit mansion for a God.*

Roedd hyn cyn i ddiwydiant sefydlu yma, a difetha'r holl gaeau a choedydd a oedd yn nodweddu'r fro. Cyflenwad o lo rhad a dyfnder naturiol afon Tawe i hwylio llongau oedd yn bennaf gyfrifol am ddenu gweithfeydd copr i'r ardal. Yn sgîl y diwydiant fe ddaeth cyfoeth a chyflogaeth gan arwain at dwf mawr ym maint Abertawe fel tref. Nid oedd yn hawdd gweithio mewn diwydiant o'r fath, a bu raid i'r gweithwyr wynebu safonau gwaith caled iawn. Gyda thyfiant y gweithfeydd collwyd mwy a mwy o'r ardaloedd gwyrdd, a daeth llygredd yn rhan o fywyd beunyddiol y trigolion. Un o berchnogion y gweithfeydd copr yn ystod chwarter cyntaf y bedwaredd ganrif ar bymtheg oedd John Vivian, a chafwyd cryn wrthwynebiad i'w gynlluniau i sefydlu'r gweithfeydd fel y dengys y llythyr hwn a anfonwyd ato gan Rowland Pritchard yn 1809:

> *To John Vivian esq: I hereby give you notice that if you erect any works at or near to a certain place heretofore called and known by the nature of The Brick Yard, within the parish of Saint John's in the county of Glamorgan, I shall commence an action against you for the injury that may be done to my estate, situated in the same parish . . .*

Erbyn y 1830au roedd hi'n amlwg fod y twf cyflym ym mhoblogaeth yr ardal yn ormod nid yn unig i'r trigolion, ond hefyd ar gyfer unrhyw gynllunio trefol. Yn dilyn adroddiad Iechyd y Trefi 1845 aethpwyd ati i geisio lleihau rhai o sgîl effeithiau gwaethaf y cynnydd yn y twf diwydiannol, ond mae'n amlwg na fu llawer o newid yn yr ardal gan i un o drigolion Glandŵr ysgrifennu fel hyn oddeutu 1850:

*it came to pass in the days of yore,
the devil chanced upon Landore
quoths he-by all this fume and stink
I can't be far from home, I think!*

Erbyn 1849 roedd cymaint â 10,000 o longau yn llwytho ac yn dadlwytho hyd at 716,000 tunnell o gargo bob blwyddyn yn Abertawe, gyda 150 o'r llongau hyn wedi eu cofrestru yn y dref honno. Agorwyd Doc y Gogledd yn 1852 ac yna Doc y De yn 1859; effeithiodd hyn ar dwf Abertawe fel tref glan môr, ac erbyn 1880 roedd wedi cyrraedd ei huchafbwynt fel canolfan ddiwydiannol gyda'i phoblogaeth dros 50,000 erbyn cyfrifiad 1881. Yn 1883 roedd Abertawe'n mwyndoddi 90% o holl gopr Prydain, ond gyda datblygiadau newydd ym maes cynhyrchu'r metel coch dirywiodd y diwydiant oddeutu diwedd y 1880au. Yn sgîl hyn gwelwyd diwydiannau eraill megis plwm, arian, aur a chobalt yn ffynnu; sicrhâi hyn fod Abertawe'n parhau i fod yn ganolfan o bwys yn y byd diwydiannol. Gyda dyfodiad y Rhyfel Byd Cyntaf roedd y canran uchaf o waith mwyndoddi'n cael ei wneud yn yr Amerig, a bu'n rhaid addasu'r gweithfeydd yn Abertawe i gynhyrchu sinc. Bu Abertawe'n llewyrchus yn y cyfnod rhwng y ddau ryfel byd, a llwyddodd i gadw safle cryf ym maes cynhyrchu tun a dur. Rhwng 1928 a 1931 allforiwyd 553,000 tunnell o dun allan o Abertawe. Er bod canol y ddinas wedi ei heffeithio'n wael iawn yn ystod y Blitz dros gyfnod 19, 20 a 21 Chwefror, 1941, ychydig o ddifrod a wnaed i'r safleoedd diwydiannol. Serch hynny, am fod llawer o'r safleoedd hyn eisoes wedi dirywio erbyn y cyfnod, peth naturiol felly oedd i amryw ohonynt gau. Rhaid cofio bod rhai ohonynt wedi parhau i weithio drwy gyfnod y rhyfel er mwyn cynhyrchu metel i greu arfau.

Ar ddiwedd yr Ail Ryfel Byd bu dirywiad mawr yn y diwydiannau; arweiniodd hyn at ardaloedd adfeiliedig. Erbyn 1961 roedd oddeutu 60% o'r ardal ddiwydiannol mewn cyflwr adfeiliedig gyda 7 miliwn tunnell o domenni sorod, adeiladau gwag, rheilffyrdd a chamlesi segur yn llenwi ardal o 800 erw gyda'r pridd mewn sawl ardal mor llygredig fel nad oedd unrhyw beth yn tyfu ynddo.

Trychineb Aberfan yn 1966 oedd y symbyliad i newid yr ardal, ac aethpwyd ati i lanhau'r llanast diwydiannol. Ym mis Tachwedd 1966 fe gyhoeddodd Ysgrifennydd Gwladol Cymru gynlluniau i lanhau ardaloedd diwydiannol, ac fe ddechreuwyd ar y gwaith o lanhau ardal Cwm Tawe Isaf yn White Rock yn 1967. Dechreuwyd glanhau ardal y Goedwig Uchaf yn Nhreforys yn 1967 a gwerthwyd y safle i gwmni Morganite Ltd a fu ar un adeg yn cyflogi hyd at fil o bobl. Mae'r lle'n enwog yn lleol fel safle sipsiwn ac yn fwy diweddar fel safle archfarchnad *Asda*. Cliriwyd y domen sorod a oedd yn ôl y sôn 'y fwyaf yn y byd' ar y pryd, ar gost o £163,000 a chwblhawyd y gwaith yn 1973.

Erbyn heddiw efallai y gallwn ganu gyda Dafydd Rowlands:

Ydy mae'r lle wedi gwella.
Does neb yn chwydu bellach yn
'fudr goch' i fwced –

Mewn ymgais i wella'r safle fe aeth Cyngor Dinas Abertawe ati i greu pedwar parc a fyddai'n cynnig agweddau gwahanol nid yn unig i drigolion lleol ond hefyd i ymwelwyr. Yn 1975 dechreuwyd ar y gwaith o greu Parc Menter, sef parc i hyrwyddo busnes yn ardal Llansamlet, ac y mae'r ardal yn dal i lewyrchu hyd heddiw gan ddenu nifer o bobl nid yn unig ar gyfer busnes ond i hamddena yn ogystal – ceir llyn sylweddol yng nghanol y parc a oedd yn arfer bod yn safle Cors Fendrod.

Sefydlwyd parc hamdden ar y safle i'r dwyrain o afon Tawe, yn yr ardal a arferai gynnwys yr holl domenni sorod, ac yma hefyd y canfyddir Stadiwm y Morfa a chyfleusterau chwaraeon. Ar hyn o bryd mae'r gwaith yn mynd yn ei flaen i ddymchwel y stadiwm ac adeiladu cyfleusterau mwy modern. Bu llawer o sôn bod clwb pêl-droed Abertawe, 'Yr Elyrch' am symud i'r fan hon, ond nid yw'r cynllun hwnnw wedi dwyn ffrwyth hyd yma. Mae'r stadiwm yn fwyaf enwog am gynnal cyngerdd llwyddiannus gan fand y Stereophonics yn 2000. Fel rhan o'r datblygiadau chwaraeon adeiladwyd llethr sgïo sych yma ond mae'r llethr wedi bod yn segur ers tro byd. Datblygwyd parc Glan yr Afon er mwyn darparu safleoedd i ymlacio a hamddena. Y bwriad pennaf oedd ceisio darparu safleoedd i gerdded, pysgota ac i ymweld â hwy. Roedd y cynllun yma'n cyd-fynd â'r datblygiad i adeiladu morglawdd dros aber afon Tawe. Mae'n debyg mai'r cynllun mwyaf uchelgeisiol oedd datblygu ardal Doc y De gan greu marina ysblennydd. Ynghlwm â'r cynllun roedd datblygiadau newydd a chynlluniau i ddiogelu rhai o'r adeiladau gwreiddiol. Yn wir, yn yr ardal yma gwelir neuadd y dref

wreiddiol Abertawe yn sefyll ymysg adeiladau cofrestredig eraill. Mae datblygiad y marina'n agos iawn i atyniadau eraill gan gynnwys yr amgueddfa a'r ganolfan hamdden. Erbyn heddiw mae'r marina'n gartref i fflatiau drudfawr a thai bwyta safonol sy'n denu cwsmeriaid megis Michael Douglas a Catherine Zeta Jones. Mae cynlluniau ar y gweill i ddatblygu Cei'r Castell yn y dyfodol ac adeiladu amgueddfa newydd erbyn 2005 yn ogystal â chanolfan siopa fawr.

Camlesi

Tra bod datblygiadau Cwm Tawe Isaf wedi eu hanelu at ddarparu safleoedd hamdden, mae atyniadau eraill yn y broydd wedi eu diogelu er mwyn denu ymwelwyr i geisio cofio'r oes a fu. Mae Camlesi Cwm Nedd yn enghraifft wych o hyn. Anfarwolwyd rhannau ohonynt gan Alexander Cordell yn ei lyfr *Song of the Earth*, ac iddynt gael eu hadeiladu fel un o brif lwybrau masnach a chysylltiad y Chwyldro Diwydiannol, maent erbyn heddiw yn gynefinoedd pwysig o ran eu bioamrywiaeth. Maent yn cynnal anifeiliaid, adar a phlanhigion amrywiol dros ben. Mae archeoleg ddiwydiannol, canŵio, pysgota, cerdded a mynediad hawdd i'r safleoedd yn cynyddu apêl nifer o'r camlesi i'r bobl leol ac ymwelwyr. Roedd camlesi Castell-nedd ac Abertawe yn gwasanaethu Cwm Nedd a Chwm Tawe, gyda chamlas Tennant yn cysylltu â chamlas Castell-nedd yn Aberdulais. Cwblhawyd adeiladu camlas Abertawe yn 1798; mae'n rhedeg am 16 milltir o Aber-craf i Abertawe. Caewyd hi i drafnidiaeth yn 1931, ac erbyn heddiw dim ond darn chwe milltir a hanner rhwng Clydach a Godre'r Graig sydd â dŵr ynddi; mae'r rhan hon yn warchodfa natur leol.

Cwblhawyd adeiladu camlas Castell-nedd yn 1799; rhed o Glyn-nedd i Giant's Grave. Mae deddfau camlesi Castell-nedd yn parhau i fod mewn bodolaeth heddiw, a defnyddir y rhain i ddiogelu'r llwybrau ar hyd ei glannau yn ogystal â hawliau teithio ar ei hyd. Aeth Ystad Jersey ati i ymestyn y gamlas yn breifat er mwyn creu glanfeydd ychwanegol ac fel ffordd o deithio i Waith Haearn Llansawel.

Mae rhwydwaith camlesi Nedd a Thennant, o Abertawe i Aberdulais ac o Lansawel i Glyn-nedd yn cynnwys dyfrffyrdd sydd oddeutu un filltir ar hugain o hyd. Mae'r camlesi'n ffurfio rhodfa sy'n tywys ymwelwyr drwy wahanol gynefinoedd gan gynnwys aber, mynyddoedd a choedwig. Ar hyd y rhwydwaith ceir enghreifftiau o ddiwydiant modern a hynafol ochr yn ochr â'i gilydd, ac mae nifer o nodweddion gan gynnwys bythynnod, llifddorau, traphont ddŵr a phontydd wedi eu diogelu i'w gweld ar y glannau.

Adeiladwyd Camlas Nedd dan ddwy ddeddf a basiwyd yn 1791 a 1798 a alluogodd iddi gael ei chloddio ddeuddeg milltir o hyd; cost y gwaith gwreiddiol oedd £20,000. Adeiladwyd camlas Tennant (sydd yn wyth a hanner milltir o hyd) gan George Tennant, a chwblhawyd y gwaith yn 1824. Pwrpas gwreiddiol y camlesi oedd cludo defnyddiau crai a nwyddau a gynhyrchwyd yn y diwydiannau megis coed, calch, copr, dur a glo yn y cymoedd, ac yn ystod y rhyfeloedd Napoleonaidd cludwyd powdr gwn a phelenni magnel ar hyd-ddynt. Nid

cychod diwydiant oedd yr unig rai a ddefnyddiai'r camlesi; byddai cychod pleser – yn enwedig cychod y cyfoethog – yn hwylio'r rhwydwaith, a gwelwyd cychod yn cludo tripiau ysgol Sul o Gastell-nedd i Pentrecaseg. Yn ystod y bedwaredd ganrif ar bymtheg roedd oddeutu 200,000 tunnell o lo yn cael ei gludo'n flynyddol ar hyd Camlas Nedd. Gyda dyfodiad y rheilffordd yn 1851, bu gostyngiad sylweddol yn y defnydd a wnaed o'r camlesi. Erbyn 1880 câi'r rhelyw o'r llwythi glo eu cludo ar y rheilffordd. Casglwyd y doll olaf ar y gamlas yn 1934. Mae'r camlesi nid yn unig yn fodd o'n hatgoffa o ddiwydiant y gorffennol ond maent hefyd yn gartref i lawer o anifeiliaid, pryfetach, pysgod a phlanhigion. Gellir cael trwyddedau i bysgota yng Nghamlas Tennant a Chamlas Nedd islaw Resolfen. Caniateir defnyddio cychod bychain ar y rhan o'r gamlas sydd wedi ei hadnewyddu, ond rhaid sicrhau fod gennych drwydded gan Gyngor Castell-nedd. Ceir sawl nodwedd sydd o ddiddordeb i ymwelwyr ar hyd Camlas Tennant a Chamlas Castell-nedd. Cwblhawyd adeiladu'r Siaced Goch yn 1818 fel ychwanegiad i gamlas Glan y Wern ac fe ddaeth yn rhan o Gamlas Tennant yn ddiweddarach. Roedd y gamlas yma'n cysylltu afonydd Nedd a Thawe gyda llifddorau a oedd yn agor i mewn i harbwr Abertawe. Gellir gweld y rhan yma o'r gamlas o bont ar ffordd y B4290 yn agos i *Westy'r Tŵr* yn Pentrecaseg. Yn anffodus, nid yw'r llwybr cludo sydd ar hyd ochr y gamlas ar agor i'r cyhoedd. Mae camlas Tennant yn rhedeg i'r de o Abaty Mynachlog Nedd. Gerllaw, gwelir pont y gamlas lle mae'r llwybr cludo'n newid o un ochr i'r llall. Yma hefyd ceir traphont fach sy'n croesi afon Clydach. I'r gorllewin ceir llwybr carreg a adeiladwyd er mwyn cario'r gamlas dros dywod suddo yn 1821, ac mae'r safle o ddiddordeb hynafol erbyn hyn. Gellir cael mynediad i'r rhan yma o'r gamlas o'r llwybr cludo ym Masn Aberdulais neu wrth ymuno â'r llwybr troed yn Tonna. Mae gweithdai Tonna, sef gweithdai gwreiddiol Camlas Nedd a adeiladwyd yn ystod y 1790au yn rhan o ardal gadwraeth Tonna; yma gellir gweld llifddorau a stablau, yr efail a phwll llif. Erbyn heddiw, mae'r gweithdai wedi eu hadnewyddu. Gellir cael mynediad iddynt drwy ymuno â'r llwybr cludo ym masn Aberdulais neu o'r llwybr troed yn Tonna. Mae camlesi Nedd a Thennant yn cwrdd wrth draphont ddŵr sy'n 340 troedfedd o hyd. Adnewyddwyd yr ardal yma gan Gymdeithas Cadwraeth Camlesi Tennant a Nedd. Yn Resolfen mae pedair milltir o ddyfrffordd wedi ei hadnewyddu gan Gymdeithas y Camlesi a Chyngor Castell-nedd (Cyngor Castell-nedd/Port Talbot erbyn heddiw). Mae llifddor Resolfen wedi cael giât newydd ac agorwyd y ddwy filltir gyntaf yn 1987. Cwblhawyd y gwaith mor bell â Phont Yscwrfa neu'r 'Skew Bridge' yn lleol erbyn 1990. Mae'n bosib defnyddio cychod bach a chanŵs ar y rhan hon o'r gamlas ac mae cwch y 'Thomas Dadford' yn cludo teithwyr ar y rhan sydd i'r gogledd o Resolfen. Mae cwch i deithwyr anabl ('Yr Enfys') ar gael er mwyn cludo teithwyr ar rywfaint o'r gamlas yn ardal uchaf Cwm Nedd. Ar y gamlas yn Rheola gellir gweld dwy lifddor, dwy

bont a thraphont ddŵr a wnaethpwyd allan o ddur yng ngweithfeydd haearn Mynachlog Nedd. Er mwyn arbed y gamlas rhag suddo bu'n rhaid ailorchuddio'r rhan yma gyda 3,000 tunnell o glai. Ym Maesgwyn, ceir odyn galch, sydd wedi ei diogelu fel crair hanesyddol, pont gylchu a llifddor.

Mae Camlas Abertawe (01792) 750556 yn rhedeg o Bontardawe i Ynysmeudwy, ac fe'i hadeiladwyd yn 1798. Chwaraeodd ran allweddol yn natblygiad diwydiannol yr ardal. Yn ôl y sôn, ar Gamlas Abertawe y defnyddiwyd sment a oedd yn dal dŵr am y tro cyntaf, a hynny i selio traphont ddŵr Ystalyfera. Wrth gwrs, nid oes modd teithio mor bell i fyny'r cwm arni erbyn heddiw. Yn ôl y sôn, hon yw'r gamlas y dygwyd yr haearn a ddefnyddid i greu gatiau Palas Buckingham yn ogystal â'r dur sydd wedi ei orchuddio â phlwm ar do y Tŷ Gwyn yn Washington a hynny o waith dur Ynyscedwyn. Oherwydd gwaith cynnal a chadw, nid yw'r cwch David 'Papa' Thomas wedi bod yn rhedeg ers sawl blwyddyn ar y gamlas rhwng Pontardawe ac Ynysmeudwy, ond gobeithir ailddechrau'r teithiau yn ystod 2003. Mae'n amlwg bod y camlesi'n ganolbwynt pwysig i waith a diwylliant. Yn Eisteddfod Ystalyfera 1860, fe aeth Roger Thomas ati i lunio cerdd yn disgrifio'r bywyd a'r hwyl oedd i'w gael arnynt:

Ar ambell ddiwrnod bydd ganddynt
mewn bad
Farilaid o gwrw i'w gludo i'r wlad
Pryd hynny bydd syched ofnadwy
yn bod
A rhaid cael ei brofi er anghlod neu
glod

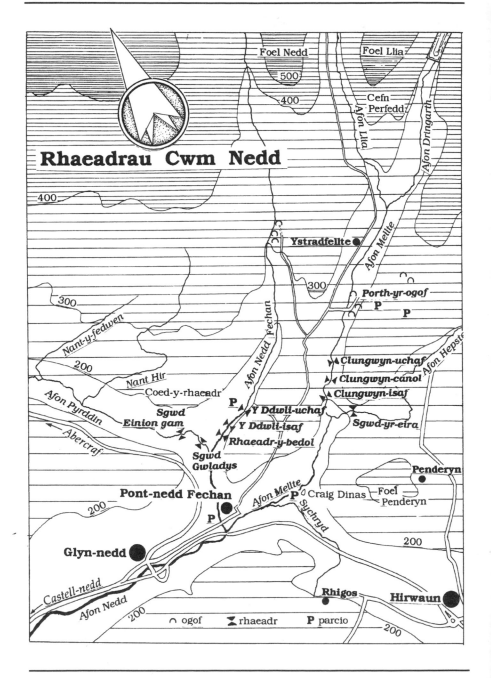

Rhaeadrau Cwm Nedd

Mae ganddynt hwy ddur i'w ollwng
yn iawn
A rhoi dŵr i wneuthur y faril yn
llawn.

A hefyd pan fyddo y bad yn rhy
drwm
Gan bwysau yr heuyrn, y glo neu
y plwm
Hwy wyddant y *trick* i ysgafnu
y llwyth
Heb alw am gymorth na adrodd
y ffrwyth
Os gofynnwch pa fodd? Atebaf i'ch
bodd
Yng ngwaelod y gamlas cewch
haiarn yn rhodd.

Os am ymweld â'r camlesi mae'n
werth cysylltu â'r cymdeithasau ymlaen
llaw gan fod yn rhaid i rai ardaloedd
gau ar adegau er mwyn gwneud gwaith
cynnal a chadw. Arwydd o'r ymdrech
fawr y mae'r cymdeithasau wedi ei
wneud i lanhau'r afonydd a'r camlesi yn
yr ardal yw'r eog pedwar pwys chwe
owns sydd i'w weld mewn cas gwydr
yng Nghanolfan Ddinesig Aberafan.
Daliwyd y pysgodyn hwn ar Fedi'r
pedwerydd, 1988, ac ef oedd yr eog
cyntaf i gael ei ddal ar afon Afan ers
150 o flynyddoedd. Llygredd a
gordyfiant yw rhai o'r prif ffactorau sydd
wedi achosi dirywiad yn y camlesi;
llygrwyd rhan o Gamlas Castell-nedd
rhwng Ynysarwed a Tonna gan orlifiad
dŵr o hen waith glo. Mae lledaeniad
planhigion ymledol, megis Canclwm
Siapan a Ffromlys Chwarennog hefyd
yn broblem ddifrifol mewn rhai
mannau, wrth iddo effeithio ar
weithgareddau ar y gamlas yn ogystal
ag ar fywyd gwyllt yr ardal.

Amgueddfa Gwaith Glo

Mae Amgueddfa Gwaith Glo, Cefn
Coed (01639 750556) yn unigryw am
mai dyma'r unig enghraifft o weithfeydd
glo'r gorffennol a geir yn yr ardal. Hwn
oedd y pwll glo carreg dyfnaf yn y byd
ar un adeg; heddiw gellir ail-fyw'r
profiad a gâi'r glowyr o weithio dan
ddaear mewn amgylchiadau anodd a
chaled iawn trwy fynd i mewn i oriel
dywyll, llaith lle ceir effeithiau sain sy'n
cyfoethogi'r profiad. Canolbwynt yr
amgueddfa yw peiriant weindio y siafft
aer a adeiladwyd gan Worsley Mesnes
yn 1927, ac erbyn heddiw mae'r
peiriant yn cael ei weithio gan drydan.
Ceir siop anrhegion a swfeniriau gyda
dewis da o lampau glowyr gwreiddiol a
rhai sydd wedi eu hail-greu, a cheir
dewis da o lyfrau sy'n ymwneud â'r
diwydiant glo yn ogystal. Mae'r
amgueddfa ar agor yn ddyddiol o fis
Ebrill hyd fis Hydref o 10.30 y.b. tan
5.00 y.p.

Rhaeadrau Aberdulais

Safle o ddiddordeb gwahanol yw
Rhaeadrau Aberdulais (01639 636674
– Yr Ymddiriedolaeth Genedlaethol).
Gellir olrhain hanes rhaeadrau
Aberdulais yn ôl dros bedwar can
mlynedd. Dechreuodd oes
ddiwydiannol y safle yn 1584, pan
fwyndoddid copr yno, ac wedi hynny
defnyddid y safle er mwyn mwyndoddi
haearn, yna fel safle melin ŷd ac yn
olaf fel gwaith alcam a adeiladwyd yno
yn 1830. Gellir gweld olion yr oes
ddiwydiannol hyd heddiw. Ymwelodd yr
arlunydd J.M.W. Turner yno yn 1795 a
pheintiodd *The Mill at Aberdulais*.
Erbyn heddiw mae'r safle dan ofal Yr
Ymddiriedolaeth Genedlaethol a aeth

ati yn 1990 i adnewyddu'r safle. Yn 1991 adeiladwyd cynllun trydan sy'n defnyddio dŵr i droi olwyn ddŵr, a hon yw'r enghraifft fwyaf o'i bath yn Ewrop. Ymysg yr atyniadau eraill a geir yma mae canolfan wybodaeth yn cynnwys fideo, siop anrhegion, cyfleusterau addysgiadol, tŷ tyrbein a grisiau pysgod sy'n eich galluogi i weld y pysgod yn symud i fyny'r afon. Cofiwch bod atyniadau megis yr olwyn ddŵr, y tŷ tyrbein a'r grisiau pysgod yn ddibynnol ar lefelau dŵr yr afon, ac nad ydynt i'w gweld ar eu gorau bob tro. Gellir ymuno â llwybrau troed neu feicio Camlas Castell-nedd o'r safle yn ogystal.

Er mai diwydiant yw prif gefndir yr ardaloedd hyn, fe geir enghreifftiau hefyd lle mae traddodiad cefn gwlad a'n hetifeddiaeth amaethyddol a gwladol yn cael ei ddiogelu. Ceir enghraifft dda o hyn os ymwelwch â Chanolfan Treftadaeth Gŵyr ym mhentref Parkmill sydd ar yr A4118 o Abertawe. Mae'r ganolfan wedi ei datblygu o gwmpas melin ŷd a choed sy'n dyddio'n ôl dros wyth gan mlynedd. Mae'r felin wedi ei datblygu i gynnwys caffi, unedau crefft ac arddangosfeydd o hen greiriau sy'n adlewyrchu treftadaeth gyfoethog yr ardal. Ymysg y crefftwyr sy'n gweithio yma ceir gofaint, crochenydd, gemydd, saer olwynion, saer maen, ffret lifiwr a saer coed.

Gerddi, Parciau a Safleoedd o Ddiddordeb Naturiol

Nid oes prinder o barciau, gerddi a safleoedd o ddiddordeb naturiol i ddenu ymwelwyr. O fewn ffiniau Abertawe yn unig fe geir 48 o barciau. Yn sicr, mae pob safle'n cynnig rhywbeth gwahanol gan eu bod wedi'u lleoli mewn ardaloedd neu gynefinoedd gwahanol.

Gerddi y Clun (01792) 298637
Mae'r gerddi hyn wedi eu lleoli o fewn 55 erw o dir sy'n edrych allan dros Fae Abertawe, a cheir 2000 o wahanol fathau o blanhigion yma gan gynnwys 800 o wahanol fathau o rododendron, gyda nifer ohonynt yn unigryw i'r safle. Mae'r gerddi hefyd yn gartref i nifer o blanhigion croesryw. Mae'r gerddi *pieris* (iarwen), *ekianthus* ac *azalea* yn lliwgar gydol y flwyddyn. Ar y llwybr ceir pont Siapaneaidd sy'n safle gwych i aros am ennyd o ddistawrwydd. Gellir cerdded ar hyd Llwybr Coed drwy'r gerddi gan ddilyn pamffled arbennig (sydd ar gael wrth y fynedfa) sy'n rhoi cyfle i chi adnabod gwahanol goed. Yn ystod mis Mai trefnir nifer o weithgareddau yn y gerddi gan gynnwys teithiau natur ac arwerthiant planhigion prin. Gall plant ddringo Tŵr y Llyngesydd sydd erbyn heddiw wedi ei orchuddio gan y rhododendrons ond a oedd ar un adeg yn safle delfrydol i edrych allan dros y bae.

Parc Cwmdonkin (01792) 635444
Cysylltir y parc yma â blynyddoedd plentyndod y bardd Dylan Thomas a fu'n byw ar un o'r strydoedd cyfagos. Saif carreg goffa iddo yn y parc. Ymysg yr atyniadau eraill ceir gardd ddŵr, cyrtiau tennis, lawnt fowlio a maes chwarae i blant.

Parc Brynmill (01792) 635444
Mae'r parc yma'n boblogaidd iawn ymysg teuluoedd. Mae llyn mawr yn y canol sy'n gartref i deuluoedd o elyrch a hwyaid. Yn ogystal, ceir maes chwarae i blant ac ardal ddiogel i'r plant lleiaf, cwrt pêl fasged a lawnt fowlio.

Parc Singleton a'r Gerddi Botaneg (01792) 298637
Mae Parc Singleton yn cynnig cyfle i gael seibiant rhag sŵn a phrysurdeb y ddinas, ac mae'r gerddi botaneg yn cynnwys nifer o blanhigion prin ac ecsotig. Nodwedd amlwg wrth fynedfa'r gerddi yw'r border llysieuol a blannwyd yn wreiddiol yn 1921. Yng nghanol y gerddi gellir gweld casgliad gwych o flodau yn y borderi petryal gan gynnwys: gellesg, dahliâu, eurflodau, pys pêr, carnasiynau, serenllysiau a llysiau'r ehedydd. Yn y tŷ cynnes gellir gweld planhigion brodorol o wahanol wledydd y byd gan gynnwys Awstralia, Brasil, Ewrop, De Affrica a Mecsico. Ceir casgliad diddorol o blanhigion gan gynnwys cacti a phlanhigion trofannol yn y tai gwydr. Cynhelir nifer o ddigwyddiadau o gwmpas y gerddi yn ystod mis Awst.

Ffen Pant y Sais, Pentrecaseg
Lleolir Ffen Pant y Sais oddi ar y B4290 ym Mhentrecaseg. Yn debyg iawn i Gors Crymlyn sy'n gorwedd i'r gorllewin, fe ddatblygodd y ffen ar hyd

hen wely afon Nedd. Mesura dros bedair erw ac mae'r gwahaniaeth sydd yn y draeniad ac asidrwydd y pridd yn golygu bod amrywiaeth eang o dyfiant i'w gael yma. Hyd at y 1930au defnyddid y ffen at ddibenion amaethyddol, yn enwedig gan y tlodion er mwyn casglu cyrs. Wrth iddo gael ei ddefnyddio lai a llai fel safle amaethyddol cafodd ei esgeuluso ac fe'i defnyddiwyd fel safle tomen sbwriel. Dim ond mor ddiweddar â 1976 yr aethpwyd ati i lenwi'r safle, a phrynwyd ef gan Gyngor Bwrdeistref Castell-nedd er mwyn sefydlu gwarchodfa natur leol yno yn 1983. Mae'n llecyn ecolegol pwysig iawn gan fod nifer fawr o ffeniau tebyg yn yr ardal wedi eu colli. Fe'i dynodwyd yn Safle o Ddiddordeb Gwyddonol Arbennig yn 1979, a cheir nifer o blanhigion o ddiddordeb yno gan gynnwys Rhedynen Gyfrdwy, Llafnlys Mawr a'r Farchredynen Gul. Mae'r ffen hefyd yn gartref i nifer o adar gan gynnwys bras y cyrs, telor y cyrs a thelor yr hesg. Mae'n werth ymweld â hi yn ystod yr haf, yn enwedig os oes gennych ddiddordeb mewn pryfed gan ei bod yn gartref i ddeg math gwahanol o Wesynnod.

Ceir maes parcio hwylus ynghyd â safle picnic yno. Gellir dilyn llwybr pren i ganol y ffen neu ddilyn llwybr sy'n amgylchynu'r warchodfa, a cheir mynediad i ddefnyddwyr cadeiriau olwyn gyda hebryngwr. Gofynnir i ymwelwyr gadw at god cefn gwlad wrth ymweld â'r fan.

Cors Crymlyn

Lleolir Cors Crymlyn yng nghanol ardal ddiwydiannol ac fe'i disgrifiwyd fel 'gwerddon naturiol yng nghanol tirlun diwydiannol'. Yn wir, mae'r ffen wedi'i lleoli drws nesaf i burfa olew Llandarsi ac i domen sbwriel tir John. Y ffen yw'r arwynebedd mwyaf o'i bath yng Nghymru ac mae'n debycach i ardaloedd East Anglia nag i Dde Cymru. Mae'n gartref i blanhigion, pryfetach ac adar diddorol, ac mae'r holl ardal yn cael ei rheoli gan Gyngor Cefn Gwlad Cymru. Dynodwyd y safle yn Warchodfa Natur Genedlaethol. Ymhlith y planhigion gellir gweld Plu'r Gweunydd Eiddil, Rhedynen Wyfrdwy, Gwlithlys, Llymfrwynen a Swigenddail Leiaf. Mae'r ffen yn gartref i nifer o wesynnod, gwyfynod, chwilod a chorynnod prin. Ymysg y trychfilod gellir gweld y Corryn Rafft, ac yn ystod yr haf y Pryf Lladd yn gorwedd ar domenni tail ceffyl yn y cae grugog. Mae hefyd yn gartref i nifer o adar gan gynnwys telor y cyrs a thelor yr hesg, cnocell werdd ynghyd â rhai prin megis rhegen y dŵr ac aderyn y bwn. Yn ystod yr hydref defnyddir y cyrs gan gannoedd o wenoliaid fel safle clwydo cyn iddynt fudo ac mae'r coed ar ffin y ffen yn safle clwydo i filoedd o jac y do yn ystod y gaeaf. Nodweddion naturiol eraill a berthyn i'r warchodfa yw twmpathau morgrug niferus sy'n arwydd nad yw'r tir mewn rhai ardaloedd wedi ei droi ers o leiaf can mlynedd, a choed gwern sydd i'w canfod yng nghanol y warchodfa ac sydd mewn gwirionedd yn fygythiad i ecoleg y safle. Yn gefndir i'r warchodfa gwelir Craig Dan y Rhiw a elwir yn lleol yn 'Lousy Hill' am iddo fod ar un adeg yn llawn o gwningod a wnâi i'r lle edrych fel petai'n berwi o lau.

Gellir ymweld â'r safle drwy

Maen Arthur, Penrhyn Gŵyr.

Carreg Bica.   *Maen Llia.*

Sgwd Gwladys, Pontneddfechan.

Sgwd yr Eira.

Sgwd Henryd.

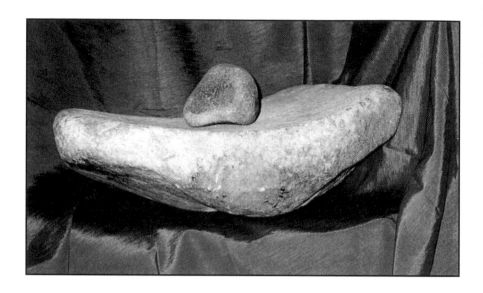

Melin law garreg o Oes y Cerrig Newydd, Pen y Pyrhod.
(o gasgliad Amgueddfa Abertawe)

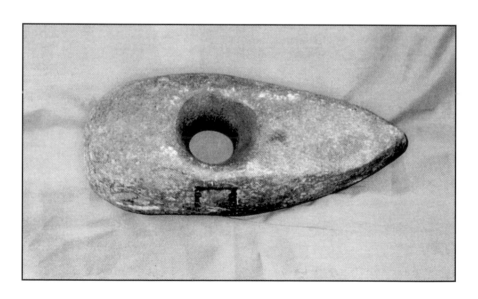

Pen bwyell garreg o'r Oes Efydd
a ganfyddwyd ger castell Llanddewi.

Crochenwaith o'r Oes Haearn a ganfyddwyd yn ogof Bacon Hill, Penrhyn Gŵyr.

Bicer o Ferthyr Mawr – credid iddo ddal lluniaeth mewn seremoni baganaidd.

Model tebygol o borth dwyreiniol caer Rufeinig Castell-nedd.

Bedd y Cawr, Gŵyr.

Teils Rhufeinig a ganfyddwyd ger
Ystumllwynarth.

Hen groes Geltaidd Eglwys Llanmadog.

*Tŵr eglwys
Llanrhidian.*

Eglwys Cheriton.

Eglwys Rhosili.

55

Castell Pennard.

Castell Weble, Llanrhidian Isaf.

Castell Ystumllwynarth.

*Hen ffermdy o Benrhyn Gŵyr sydd bellach yn
Amgueddfa Werin Cymru – Kennixton o Llangennydd.*

Abaty Nedd.

Hen lun o dram y Mwmbwls yn cyrraedd y pier.

Canolfan Glo a Stêm,
Cefn Coed, Cwm Nedd.

Plasty Margam.

Parc Margam.

Marina Abertawe.

Yr hen gastell Normanaidd, Abertawe.

Sgwâr y Castell, Abertawe.

Tŷ Llên, Abertawe.

Cofeb Porth Eynon.

Cerdded uwch traeth Bae Tri Chlogwyn.

Clogwyni ger Pennard.

Y Mwmbwls.

Clogwyni Pen y Pyrhod yn y pellter
– yno y magwyd Cenydd Sant yn ôl y traddodiad.

Tafarn y Garreg ym mhen uchaf Cwm Tawe.

Hel cocos ym Mhen-clawdd.

gerdded ar hyd y llwybr sydd wedi ei farcio â saethau gwyn; mae'r daith oddeutu 1 kilometr o hyd. Gofynnir i ymwelwyr gau pob clwyd ar eu holau a bod yn hynod ofalus wrth gerdded gan mai haenen denau o lystyfiant dros fwd dwfn sydd yno. Ni ddylid mentro oddi ar y llwybr ar unrhyw gyfrif. Gellir cysylltu â'r Cyngor Cefn Gwlad ar (01792) 771949.

Parc Coedwig Afan

Mae Parc Coedwig Afan yn cynnwys ardal o dros 9,000 erw o goed sydd wedi ei neilltuo ar gyfer y cyhoedd gan Fenter Coedwigaeth Cymru; mae datblygiad y parc yn ffrwyth cydweithio dros gyfnod maith rhwng nifer o gyrff cyhoeddus a gwirfoddol ynghyd â nifer o unigolion sydd wedi mynd ati i gadw'r fflam ynghynn. Erbyn heddiw cuddia'r coed olion hen byllau glo, ffyrdd tramiau a rheilffyrdd segur. Ar lethrau isaf y cwm mae'r coed llydanddail cynhenid yn drwch ac mae'r nentydd a fu unwaith mor llygredig gan lwch y gweithfeydd erbyn hyn yn llifo'n lân a chrisialaidd. Gellir crwydro ar hyd Parc Coedwig Afan ar droed neu ar gefn beic. Ceir deg o lwybrau tywys sy'n dechrau o'r Ganolfan Cefn Gwlad a'r meysydd parcio yn Rhyslyn a Thŷmaen. Tywysa'r llwybrau hyn y cerddwr i'r safleoedd gorau a'r mannau mwyaf diddorol yn y parc.

Cwm Afan yw un o gymoedd culaf, byrraf a harddaf de Cymru; mesura oddeutu 24.1 kilometr. Oherwydd y tirlun trawiadol fe elwir yr ardal yn 'Swistir Fach', ac o ganlyniad mae dan bwysau mawr o du datblygwyr i greu canolfannau gwyliau yma. Ar un adeg roedd y cwm i gyd dan orchudd coed ond mae'n debyg iddynt ddechrau eu clirio yn ystod yr Oes Efydd wrth i'r amaethwyr cynnar geisio creu system o gaeau ar gyfer amaethu. Bu ffermwyr lleol yn cloddio am lo yma ar raddfa fechan ond yn ddiweddarach, tyfodd y fro yn ardal lofaol ffyniannus, yn enwedig yn y Cymer. O ganlyniad i lwyddiant y pyllau glo aethpwyd ati i fwyndoddi copr, dur ac alcam yn yr ardal. Y gwaith glo olaf i weithio yno oedd Pwll Glyncorrwg a gaeodd yn 1970. Ychydig iawn o'r coed cynhenid sydd ar ôl erbyn heddiw; cafodd y rhelyw o'r rhai sydd i'w gweld yno eu plannu gan y Comisiwn Coedwigaeth yn ystod y 1930au a'r 1950au. Erbyn heddiw mae'r ardal yn cynhyrchu 100,000 tunnell fetrig o bren ar gyfer cynhyrchu papur, celfi, pyst ffens a pholion. Ger maes parcio Rhyslyn ceir llain o dir sydd yn cynnwys 44 o wahanol rywogaethau o goed. Plannwyd y rhan fwyaf ohonynt yn ystod ymgyrch 'Plannwch Goeden yn '73'. Yng nghanol y llain tir ceir carreg fawr sy'n dwyn y geiriau 'Fitz Acer' a osodwyd yno er cof am J.W.L. Fitzherbert, sef swyddog adrannol y Comisiwn Coedwigaeth a fu farw yn 1969.

Ceir 14 milltir o hen reilffyrdd a llwybrau coedwig yn y parc ac mae'n bosib teithio ar feic o Pont-rhyd-y-fen i Blaengwynfi. Rhy'r daith gyfle i chwi fwynhau rhai o olygfeydd godidocaf Cwm Afan. I'r rhai mwyaf heini, gellir dilyn llwybrau cylchog sydd wedi eu cynllunio ar gyfer beiciau mynydd. Gall rhai o'r llwybrau hyn gymryd hyd at ddwy awr i'w cwblhau. Mae'n bosib llogi beiciau yn y Ganolfan Cefn Gwlad neu fe gewch fynd â'ch beic eich hun.

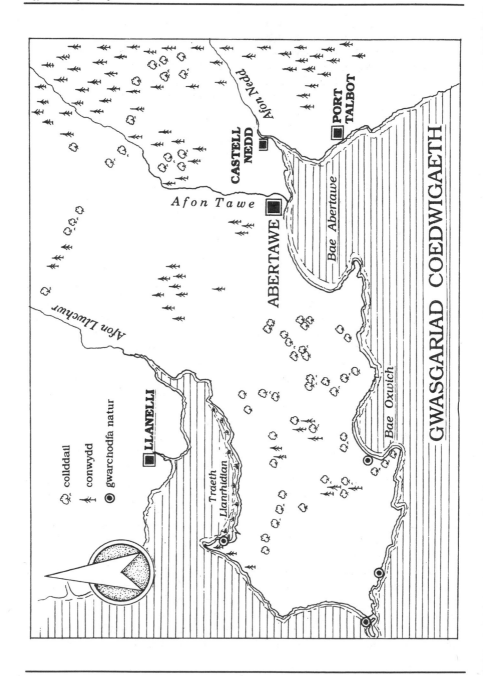

Mae Llwybr Coed Morgannwg yn cysylltu Craig y Llyn a Pharc Margam, ac ohoni fe geir golygfeydd godidog uwchlaw Hirwaun. Wrth ddilyn y llwybr fe gewch gyfle i weld olion o'r Oes Efydd, yr Oes Haearn, bryngaerau o'r Canol Oesoedd a safleoedd diwydiannol diweddar, ac fe fyddwch yn troedio drwy Goed Margam, Coed Cymer a Choed Rheola. Os am fentro i'r goedwig gofynnir i chwi wrando ar apêl y coedwigwr:

- Peidiwch â chynnau tân
- Peidiwch ag aflonyddu ar fywyd gwyllt
- Peidiwch ag amharu ar ffensiau, perthi a waliau
- Cadwch at y llwybrau a chaewch y gatiau
- Peidiwch â gadael sbwriel ar eich hôl

Fel y soniwyd eisoes, mae sawl llwybr yn rhedeg trwy'r goedwig. Fe fyddai'n amhosib rhoi disgrifiad manwl o'r holl deithiau ond dyma awgrymu pedair ohonynt i chwi. Er eich diogelwch eich hun mae gofyn i chi ddilyn arwyddion yr olion traed a pheidio â mentro oddi ar y llwybrau.

Llwybr Penrhys (Taith gerdded 4.8km)
Gellir dechrau'r daith hon yn Rhyslyn neu ym maes parcio Capel Gyfylchi. Ceir llwybr sy'n dringo'n serth ac yn raddol uwchben Pont-rhyd-y-fen sef man geni'r actor Richard Burton. Fe'i ganed yn rhif 2 Dan-y-Bont ar 10 Tachwedd, 1925. Tu mewn i gyntedd y tŷ presennol gellir gweld plac sy'n nodi'r digwyddiad. Yma gellir gweld y draphont ddŵr drawiadol a adeiladwyd yn 1825 er mwyn cludo dŵr ar draws y cwm i Waith Glo a Haearn Oakwood.

Wrth gerdded ar hyd y llwybr ceir golygfeydd panoramig o'r wlad sydd o amgylch gan gynnwys Port Talbot, Llanymddyfri a hen gloddfeydd cerrig Tonmaen gyda bryniau blaenau Cwm Tawe a Bannau Sir Gaerfyrddin yn gefndir iddynt. Gallwch ddilyn hen gefnffordd hynafol sy'n cysylltu Eglwys Baglan â Chraig y Llyn gan fynd heibio adfeilion hanesyddol Capel Gyfylchi, a oedd yn un o gysegrfannau'r Methodistiaid yn ystod y ddeunawfed ganrif. Mae'r llwybr wedyn yn disgyn trwy goed pinwydd i lawr i Gwm Afan.

Llwybr Nant Cynon (Taith gerdded 1.6km)
Mae'r llwybr yma'n croesi drwy goedwig Ysgol Cymer Afan sydd ar safle hen waith brics yr Argoed. Plannwyd y coed cyntaf yma yn 1948 gan blant yr ysgol ac yn eu plith ceir rhywogaethau o Geirioswydden Flodeuog, Castanwydden Bêr a'r Aethnen. Dilyna'r llwybr hen ffordd dramiau'r lofa cyn iddo ddisgyn i lawr i groesi Nant Cynon. Yma y darganfuwyd ffosilau o hen goed. Erbyn heddiw, mae safle Glofa Cynon wedi ei orchuddio â gwair; caewyd y lofa yma yn 1956. Dilynwch y llwybr cyn iddo ddisgyn at yr A4107 yn ôl i'r Ganolfan Cefn Gwlad.

Llwybr Rhyslyn (Taith gerdded 4.0km)
Saif maes parcio Rhyslyn ar safle hen orsaf rheilffordd Pont-rhyd-y-fen a gaewyd yn 1964. Mae'r llwybr yma'n eich tywys at lan afon Afan ac yna'n dilyn llwybr yr hen gamlas a adeiladwyd i gario dŵr i Waith Glo a Haearn Oakwood. Nodwedd naturiol y cynefin yma yw'r modd y mae'r afon

wedi naddu drwy deras cnwc gro a ffurfiwyd yn ystod yr Oes Iâ olaf, ac yma gallwch wylio allan am fronwen y dŵr yn yr afon. Gellir dychwelyd i faes parcio Rhyslyn drwy ddilyn ffordd feiciau sydd ar lwybr hen reilffordd cwmni Mwynau De Cymru.

Llwybr Glan-Afon i Dwnnel Gyfylchi (Taith gerdded 4.8km)

Mae'r llwybr yn mynd o dan yr A4107 ac yn croesi afon Afan ar bont bren a adeiladwyd yn 1975. Mae'n bosib gweld y siglen lwyd, bronwen y dŵr a'r crëyr glas yma. Wrth i'r llwybr ddilyn yr afon rhaid cerdded ar hyd tir anwastad a ffurfiwyd gan farianau a cherrig yn ystod yr Oes Iâ olaf. Rhaid dringo llwybr serth i Bont Paddy, ac yna dilyn y llwybr sy'n mynd i'r chwith ar hyd llwybr beiciau. Mae'r llwybr ar y dde yn arwain at fynedfa twnnel Gyfylchi (sydd wedi ei gau). Cynlluniwyd ac adeiladwyd y twnnel hwn gan Brunel rhwng 1856 a 1863.

Llwybr Michaelston (Taith gerdded 8.0km)

Ar y llwybr yma dilynwch lwybr Glan-Afon i dwnnel Gyfylchi hyd at Bont Paddy. Croeswch y llwybr beicio a dringwch drwy'r coed llarwydd, pinwydd a phyrwydd i gyrraedd lefel sydd 1,000 troedfedd uwchlaw'r môr. Wrth droi i'r chwith gallwch ddilyn y llwybr ar hyd y grib lle mae posib cael golygfeydd gwych o'r cwm. Ar ôl ychydig mae'r llwybr yn croesi tir fferm ac yn mynd heibio adfeilion Capel Gyfylchi. Wedi hyn disgynna'r llwybr yn serth i'r llwybr beicio gan eich arwain yn ôl i'r Ganolfan Cefn Gwlad.

Ar gyfer y rhai nad ydynt am fentro cerdded neu feicio, ceir gwybodaeth yn y ganolfan hon am y parc, ynghyd â gwybodaeth am y tirlun, treftadaeth a byd natur. Ers 1976 bu'r ganolfan yn gartref i Amgueddfa Glowyr De Cymru ac mae'n rhoi syniad i ymwelwyr o amodau byw yn ystod oes aur yr ardaloedd glofaol. Ceir caffi yma hefyd sy'n darparu lluniaeth ysgafn. Mae Parc Coedwig Afan ar agor gydol y flwyddyn ac mae'n rhad ac am ddim.

Parc Gwledig Craig-y-nos

Ceir dros 40 erw o gynefin naturiol ym Mharc Gwledig Craig-y-nos, sydd ar agor i'r cyhoedd. Mae'r parc wedi'i leoli ym mhen uchaf Cwm Tawe ym Mhen y Cae wrth droed Cribarth, sef y mynydd a adwaenir yn lleol fel 'y Cawr Cwsg'. Wrth i chi deithio i fyny'r cwm o gyfeiriad Abertawe, ger Abercrâf, gellir gweld siâp yn y tirlun sy'n ymdebygu i gawr yn cysgu. Nid cynnig cyfle i fwynhau cefn gwlad yn unig a wna'r parc; mae hefyd yn fodd i chi ddysgu ychydig am hanes yr ardal. Perchennog yr ystad gyntaf i gael ei ddatblygu yma oedd Rhys Davies Powell. Adeiladwyd ei dŷ, Bryn Melin allan o galchfaen llwyd lleol dros gant a hanner o flynyddoedd yn ôl. Cyn i'r ystad ddatblygu tir pori ar gyfer anifeiliaid, ffermwyr lleol oedd yma. Cysylltir yr ystad heddiw ag Adelina Patti y gantores opera fyd-enwog a aeth yno i fyw yn 1878, ac a ddefnyddiodd dywodfaen pinc i ymestyn yr adeilad gwreiddiol. Bu'r gantores yn byw yma am ddeugain mlynedd; roedd Craig-y-nos yn le delfrydol iddi ymlacio ar ôl cyfnodau hir o deithio a pherfformio. Cyflogodd gynllunwyr gardd i greu parc preifat ar gyfer ei difyrrwch personol ei hun, ac mae nifer o'r cynlluniau hyn i'w gweld hyd heddiw. Yn dilyn marwolaeth Patti yn 1919 fe ddaeth Craig-y-nos yn ysbyty, a defnyddiwyd y tir o'i amgylch fel ardal i'r cleifion gael ymlacio. Caewyd yr ysbyty yn y 1980au ac mae'r adeilad wedi bod yn eiddo i sawl perchennog ers hynny. Hyd yn hyn, aflwyddiannus fu pob menter busnes ar y safle ond mae'r perchnogion presennol yn gobeithio adnewyddu'r adeilad a'i ailagor. Mae nifer o welliannau wedi eu gwneud i'r castell ers cyfnod Patti ond mae'r theatr wedi ei diogelu ac yn werth ei gweld.

Yn 1976 cafodd y tir o gwmpas y castell ei droi'n barc gan Awdurdod Parc Cenedlaethol Bannau Brycheiniog, ac mae'n atyniad poblogaidd a phrysur iawn i ymwelwyr ac i ysgolion lleol. Ar y safle ceir Canolfan Ymwelwyr sy'n rhoi arweiniad i'r parc a'r ardal gyfagos. Mae'r parc ei hun yn cynnig sawl gwahanol fath o gynefinoedd gan gynnwys coedwig, dôl a llynnoedd sydd yn gartref i amryw o adar a chreaduriaid. Mae hefyd yn rhoi cyfle i ymwelwyr ymwneud â chynlluniau ymarferol byd natur. Gellir ymuno â grwpiau cerdded, neu fabwysiadu blychau nythu adar a blychau cysgu un o'r pum math o ystlum sy'n byw yn y parc. Mae hefyd yn bosib ymuno â grŵp o wirfoddolwyr er mwyn diogelu a gwarchod cefn gwlad ac ymarfer a dysgu crefftau megis plethu perthi ac adeiladu waliau sych. Mae'r parc ar agor drwy gydol y flwyddyn ag eithrio dydd Nadolig, pryd agorir ef am 10.00 y bore; nodir yr amseroedd cau ar fyrddau yn y maes parcio. Ni chodir tâl i ymweld â'r lle, ond rhaid talu am barcio. Gellir darparu cyfleusterau ar gyfer ysgolion a cholegau.

Parc Margam a Gerddi'r Orendy

Parc Margam yw cartref Eisteddfod Genedlaethol yr Urdd 2003. Mae'r parc yn atyniad hanesyddol, ac yn arwyddocaol ym myd natur, daearyddiaeth a hanes. Nid oes prinder o bethau i ddenu plant ac oedolion yma. Mae'r parc wedi ei leoli mewn 850 erw o dir. Ymhlith yr atyniadau ceir cymysgedd o hanes, garddwriaeth a byd natur, ac yn y gerddi ceir adeiladau hanesyddol gan gynnwys y castell nodedig sy'n ganolbwynt i'r parc. Cwblhawyd y gwaith ar yr adeilad Tud018raidd/Gothig yn 1840, a bu'n gartref i Christopher Rice Mansel Talbot. Dinistriwyd y castell gan dân yn 1977, ond adnewyddwyd y tu mewn er mwyn darparu cyfleusterau addysgiadol i ysgolion a cholegau. Mae modd aros yma ar gyrsiau preswyl neu fynychu cyrsiau dydd. Gellir mynd i mewn i gyntedd y castell ond nid oes mynediad i'r cyhoedd i weddill yr adeilad. Ymysg yr adeiladau eraill ceir yr Orendy ysblennydd sy'n dyddio o'r ddeunawfed ganrif, Tŷ'r Siapter o'r drydedd ganrif ar ddeg ac olion yr Abaty unigryw.

Sefydlwyd abaty Sistersaidd ym Margam yn 1147 gan Robert de Consul, Arglwydd Morgannwg. Erbyn heddiw, eglwys abaty Margam yw'r unig sefydliad Sistersaidd yng Nghymru sydd â chorff cyfan sy'n cael ei ddefnyddio ar gyfer addoliad Cristionogol. Mae'n debygol i eglwys gynharach fod ar y safle; fe all yr holl gerrig Cristionogol a ddarganfuwyd yma fod yn dystiolaeth o hynny, ond nid oes olion unrhyw adeilad cynharach wedi eu darganfod. Anfonwyd mynachod o Waverley, Surrey i'r ardal i sefydlu'r abaty ac fe roddwyd mesur o dir sylweddol iddynt rhwng afonydd Afan a Chynffig. Adeiladwyd capel yr abaty ar ffurf croes, ond ychydig iawn o'r adeilad gwreiddiol sydd wedi goroesi. Gwnaed llawer o waith adnewyddu ar yr adeilad yn ystod y bedwaredd ganrif ar bymtheg. Mae'n debygol bod cynllun yr abaty'n dilyn cynllun traddodiadol abatai Sistersaidd gyda'r adeiladau cysylltiol i'r de o gorff yr eglwys, ond mae'r adeiladau hyn wedi diflannu'n gyfan gwbl. Y darn mwyaf trawiadol sydd wedi goroesi yw'r Tŷ Siapter a adeiladwyd oddeutu 1200. Arhosodd yr adeilad yma fwy neu lai heb newid hyd at 1799, pan ddinistriwyd rhannau ohono mewn storm. Yn wahanol i dai siapter Sistersaidd traddodiadol oedd ar ffurf triongl, adeiladwyd y tŷ hwn ar ffurf adeilad deuddeg ochr y tu allan a chylch y tu mewn. Ffynnodd yr abaty am oddeutu 200 mlynedd, a bu'n ddibynnol ar weithgareddau seciwlar ac yn berchen ar diroedd, diadelloedd o ddefaid, melinau, pysgodfeydd a phyllau glo. Erbyn 1536, dim ond naw mynach oedd ar ôl yma. Gyda diddymu'r abaty fe'i prynwyd gan Syr Rice Mansel o Gastell Oxwich.

Adeilad arall o ddiddordeb o fewn ffiniau'r parc yw'r Orendy. Fe'i hadeiladwyd yn 1789 yn gartref i gasgliad enfawr o goed oren, lemwn a sitrws. Mae wedi ei adnewyddu'n sylweddol a heddiw fe'i defnyddir ar gyfer priodasau, ciniawau, cynadleddau a sioeau ffasiwn.

Mae'r parc yn gartref i yrr o wahanol fathau o geirw gan gynnwys Carw Pere David, Carw Coch, Carw Muntjac a Hydd Brith. Ceir amrywiaeth eang o adar yn y parc hefyd, ac mae'r coedydd a'r gerddi hefyd o ddiddordeb i ymwelwyr, a cheir casgliad o fagnoliaid, rhododendronau a ffiwsia. Er mwyn tywys ymwelwyr o gwmpas y parc ceir nifer o deithiau sy'n canolbwyntio ar wahanol atyniadau. Gellir cael manylion am y teithiau cerdded hyn o'r ganolfan ymwelwyr sydd gerllaw'r castell.

Yn 2002, atyniad newydd a ychwanegwyd i'r parc oedd trên Margam, sy'n tywys teithwyr o gwmpas rhan o'r parc. Ymysg yr atyniadau eraill ceir anifeiliaid fferm, casgliad o anifeiliaid ac adar gwyllt, gwlad y tylwyth teg a chychod rhwyfo. Cynhelir sawl gŵyl yn y parc gan gynnwys y Sioe Sirol ym mis Awst a gŵyl Bwydo Ceirw Santa ym mis Rhagfyr.

Cwm Du a Phlanhigfa Glanrhyd, Pontardawe

Gellir dechrau'r daith gerdded drwy ymweld â Chwm Du a Phlanhigfa Glanrhyd wrth ymyl plac coffa Gwenallt, 'bardd y bywyd diwydiannol peiriannol hwn' sydd wrth ymyl *'y cross'*, Pontardawe. Mae Cwm Du yn drysor naturiol yng nghanol prysurdeb Cwm Tawe ac mae'r ardal yn enghraifft dda o ba mor ddiddorol yw Cwm Tawe o ran gwyddoniaeth a daeareg. O ganlyniad i ffawtiau daearegol yn yr ardal bu newid mawr ym mhatrymau draeniad dŵr, ac mae symudiadau'r rhewlif yn ystod yr Oes Iâ ddiwethaf wedi siapio'r cwm i'r hyn sydd i'w weld heddiw. Erbyn hyn ceir llwybr sy'n arwain ymwelwyr ar hyd Cwm Du a phlanhigfa Glanrhyd. Rhaid bod yn ofalus wrth gerdded mewn rhai mannau oherwydd gall y daith at y rhaeadr ar yr ochr ddwyreiniol o lannau afon Clydach Uchaf fod yn llithrig – yn enwedig ar ôl cyfnod o law, ac fe awgrymir i chi wisgo esgidiau cryf gyda gwadn dda. Mae gwirfoddolwyr wedi bod yn brysur iawn yn adnewyddu ac yn atgyweirio'r llwybrau sy'n eich tywys at ffrydiau'r afon, clogwyni serth a rhaeadrau sydd yn nodweddiadol o'r ceunant.

Ceir amrywiaeth eang o fywyd gwyllt yma gyda phlanhigion, coed ac adar yn amlwg iawn drwy gydol y flwyddyn. O fyd yr adar ymysg eraill cofnodwyd y rhywogaethau canlynol: sgrech y coed, cnocell werdd, cnocell fraith leiaf, dringwr bach, delor y cnau, titw tomos las, titw mawr, titw gynffon hir, cigfran, bronwen y dŵr, siglen lwyd a'r crëyr glas. Ymysg yr anifeiliaid sydd i'w gweld yno cofnodwyd y llwynog, mochyn daear a dyfrgi. Mae'r goedwig yn gymysgedd o goed derw, sycamorwydden, onnen, cyll a ffawydden goprog. Y gwanwyn yw'r tymor gorau er mwyn gweld y blodau a'r planhigion. Yma gellir gweld blodyn y gwynt, lili'r grog, llygad Ebrill, clychau'r gog a briallu. Mae'r amgylchedd lleidiog hefyd yn golygu bod mwsoglau a chen yn ffynnu yma ar y llethrau a'r creigiau.

Ym mhlanhigfa Glanrhyd ceir enghreifftiau gwych o goed derw a nifer o goed ecsotig a blannwyd gan Arthur Gilbertson yn 1877. Ymysg y coed ecsotig gellir gweld y goeden goch, wellingtonia, pinwydden Chile, ffynidwydden, pinwydden Corsica,

pinwydden Weymouth ac ywen Canada. Wrth i chi gerdded ar hyd llwybrau'r blanhigfa edrychwch am y goeden sydd â'r wyneb a'r ddau lygad yn syllu arnoch! Rheolir y blanhigfa a'r ardal gyfagos ar y cyd gan Wasanaethau Hamdden Castell-nedd/Port Talbot a Choed Cymru.

Enghraifft arall o ardal sydd wedi ei hadnewyddu a'i hailadfer yw Ystad Parc y Gnoll, Castell-nedd (01639) 635808. Ymestynna parc yr ystad dros 200 erw, ac mae iddo hanes diddorol a lliwgar. Codwyd y tŷ cyntaf ar yr ystad yn ystod hanner cyntaf yr ail ganrif ar bymtheg, ac yn ystod y ddeunawfed ganrif aethpwyd ati i dirlunio'r tiroedd gyda chymorth yr arian a ddeuai i'r ystad o ganlyniad i ddatblygiadau diwydiannol yng Nghwm Nedd. Prif arloeswyr y newidiadau hyn oedd teulu'r Mackworth – yn enwedig Syr Humphrey Mackworth a symudodd i fyw yno yn 1686, ei fab Herbert a'i nai sef Herbert arall. Mae graddfa'r newidiadau a'r fenter yn syfrdanol. Er mwyn mowldio'r tirlun aethpwyd ati i newid cwrs afonydd, llunio argaeau er mwyn creu pyllau dŵr mawr, adeiladu rhaeadr cerrig gyda chwymp o bron i 190 troedfedd, yn ogystal â chreu rhaeadr arall naturiol i redeg lawr dyffryn serth a choediog. Daeth cysylltiad teulu'r Mackworth ag Ystad y Gnoll i ben yn 1797, a chan nad oedd gan berchnogion newydd yr ystad yr arian i gynnal a chadw gerddi, fe aeth yr holl nodweddion addurnol ar eu gwaethaf. Yn ystod y 1980au aethpwyd ati i adfer yr hyn oedd wedi goroesi ac ailgrewyd rhai nodweddion ar gyfer y cyhoedd. Darganfuwyd hen fap o'r ystad gan Steve O'Donovan yn 1983 yn archifdy Gorllewin Morgannwg sy'n dyddio'n ôl i 1740. Gyda chymorth y map roedd hi'n bosib canfod rhai o nodweddion penodol a gwreiddiol y gerddi gan gynnwys safle un o'r rhaeadrau.

Fe gymrodd y gwaith o gloddio safle'r rhaeadr ddwy flynedd i'w gwblhau, ac yn y cyfamser, aethpwyd ati i drafod y ffordd orau i ddiogelu ac adfer y rhaeadr. Gyda chefnogaeth nifer o gyrff cyhoeddus, llwyddwyd i sicrhau cymhorthdal sylweddol i ymgymryd â'r gwaith. Adeiladwyd y rhaeadr wreiddiol, y Rhaeadrau Ffrengig rhwng 1724 a 1727 ac fe'i hadferwyd yn ystod y cyfnod 1995 i 1997. Yn ôl y sôn, mae'n debygol mai gŵr o'r enw Thomas Greening fu'n gyfrifol am gynllunio'r gwaith gwreiddiol. Bu Greening hefyd yn gyfrifol am gynllunio nodweddion eraill megis y ffosglawdd, lawnt fowlio, cwrt pumoedd a phlannu lonydd coed.

Yn ogystal â'r rhaeadr ffurfiol yma gellir hefyd gweld Rhaeadr Mosshouse, sef disgynfa drawiadol a ddatblygwyd yn ystod y 1740au, ffos gudd, olion Tŷ Gnoll a'r selerau, rhewdy, pwll pysgod, cronfa ddŵr a theml gastellog ffug. Erbyn heddiw mae atyniadau eraill wedi eu hychwanegu i'r parc gan gynnwys meysydd parcio, tŷ bwyta/caffi, groto, cwrs golff, a maes chwarae i blant. Ceir mynediad i'r ystad yn rhad ac am ddim.

Llên Gwerin, Chwedlau ac Ofergoelion

Does dim prinder o chwedlau, ofergoelion a choelion gwlad yn perthyn i'r fro, a thasg amhosib fyddai eu cynnwys i gyd yma, ond dyma i chi flas ar rai o'r traddodiadau:

Y Tylwyth Teg

Yng Ngŵyr arferid galw'r tylwyth teg yn 'the very folks' a rhoddwyd parch mawr iddynt; yn wir, i'r fath raddau nes bod rhai o'r trigolion yn ofn troseddu yn eu herbyn rhag ofn i ddinistr neu anffawd ddilyn. Dywedir bod y tylwyth teg ar Gŵyr yn gwisgo dillad coch a gwyrdd a'u bod oddeutu troedfedd o daldra. Honnodd hen wraig o Gastell-nedd iddi weld cannoedd ohonynt ar gefn ceffylau gwynion un noson a'u bod yn cerdded mewn rhesi fesul pedwar. Yn ôl y sôn, ni ellid clywed sŵn ceffylau ond, yn hytrach cerddoriaeth y tylwyth teg – credai rhai eu bod yn gallu chwarae cerddoriaeth hyfryd yn ogystal â chanu. Dyma enghraifft o un o'u caneuon:

> Canu canu drwy y nos,
> Dawnsio, dawnsio ar waen y rhos
> Yng ngoleuni'r lleuad dlos
> Hapus ydym ni.
>
> Pawb ohonom sydd yn llon
> Heb un gofid dan ei fron
> Canu dawnsio ar y ton
> Dedwydd ydym ni.

Arferai'r tylwyth teg ymweld â thŷ fferm ar Gŵyr i ofyn cymwynasau. Ar un adeg ymwelodd dynes â'r fferm yn gofyn am fenthyca rhidyll. Dywedodd gwraig y tŷ nad oedd rhidyll ganddi, ond roedd y tylwyth teg wedi sylwi eisoes ei bod yn bragu cwrw a'i bod yn defnyddio rhidyll i hidlo'r hopys. Fe gafodd gwraig y tŷ ymdeimlad mai un o'r tylwyth teg oedd wrth y drws ac fe roddodd y rhidyll i'r ddynes. Fel arwydd o ddiolchgarwch dywedwyd wrth wraig y tŷ y byddai'r gasgen fwyaf yn y tŷ yn cael ei llenwi â chwrw hyd ddiwedd amser. Yn anffodus, ni lwyddodd gwraig y tŷ gadw at delerau'r tylwyth teg am iddi sôn wrth eraill am eu haelioni. O ganlyniad, ni chafwyd cyflenwad o gwrw yn y tŷ o'r dydd hwnnw ymlaen.

Mewn tŷ fferm arall arferai'r tylwyth teg adael swllt sgleiniog newydd ei fathu ym mwced godro'r forwyn. Gan fod y forwyn yn credu bod ei meistr yn ceisio profi ei gonestrwydd fe benderfynodd sôn wrtho am y mater. Gwadodd y meistr unrhyw gynllwyn a dywedodd mai'r tylwyth teg oedd yn ei roi yno. Yn anffodus, am i'r forwyn sôn wrth y meistr am yr arian, ni chafodd yr un ddime o'r diwrnod hwnnw ymlaen.

Ofnai'r trigolion lleol y tylwyth teg yn fawr – yn enwedig os oeddynt wedi troseddu yn eu herbyn, gan y byddent ar brydiau'n cosbi'n hallt. Dyna oedd tynged ffermwr o Gŵyr. Arferai'r tylwyth teg ddawnsio mewn cylch mewn cae ger Bryn Cwm Eiddew. Fe benderfynodd y ffermwr ymuno â'r dawnsio. O ganlyniad i'w ffwlbri fe'i trywanwyd yn ei droed gyda phicell, a bu'n gloff ac mewn poen mawr am beth amser. Cymaint oedd y boen nes iddo fynd i geisio cyngor hen wraig ddoeth. Cynghorwyd iddo fynd yn ôl at y tylwyth teg a rhoi ei droed gloff yn unig yn y cylch dawnsio; dyna a wnaeth, ac o ganlyniad cafodd adferiad llwyr.

Ceir hanesion hefyd fod y tylwyth teg yn herwgipio pobl. Digwyddodd hyn i Guto Bach. Adroddwyd hanes gan Tomos Shon Rhydderch a fu farw yn 91 mlwydd oed yn Ionawr 1827 – honnai iddo weld y tylwyth teg ar sawl achlysur. Roedd Guto'n byw ar ei ben ei hun ar ben y mynydd ger y Creunant ac arferai gerdded y mynydd i wylio defaid ei dad. Pan ddychwelai o'i deithiau dangosai ddarnau o bapur i'w frodyr a'i chwiorydd gyda siapiau coron arnynt. Y cyfan a ddywedai Guto oedd ei fod wedi cael y darnau papur gan blant bach yr oedd wedi'u cyfarfod ar y mynydd. Un diwrnod diflannodd Guto – ni welwyd mohono am ddwy flynedd, ond un bore, heb rybudd fe ddychwelodd ar garreg drws ei rieni, yr un maint ag yr oedd pan ddiflannodd ac yn gwisgo'r un dillad. Taerai Guto mai am ddiwrnod yn unig y bu ar goll. Yn ei law roedd bwndel papur yr oedd y tylwyth teg wedi'i roi iddo. Pan edrychodd ei fam ar y bwndel papur sylweddolodd mai gwisg wen ydoedd wedi ei gwneud heb yr un darn o edafedd na sêm arni. Llosgwyd y wisg ar unwaith.

Yng Nghwm Nedd roedd ffarmwr yn cael ei boeni gan y tylwyth teg i'r fath raddau nes iddo benderfynu gadael y fferm. Tra oedd ar fin gadael, sylweddolodd bod y tylwyth teg yn ei ganlyn felly fe arhosodd. Yn dilyn cyngor dyn hysbys ar sut i gael gwared â'r cnafon, aeth ati i baratoi un pryd yn unig o aderyn y to wedi ei rostio, a chyhoeddi ei fod am gynnal gwledd fawr. Pan fyddai'r tylwyth teg yn sylweddoli pa mor bitw oedd y wledd, byddent yn gadael tir y ffermwr am byth. Dyna a ddigwyddodd.

Gwrachod, Dewiniaid a'r Diafol

Ystyriwyd Nell Hen yn wrach gan ei chymdogion yn ardal Pont-rhyd-y-fen. Credai ei chymdogion bod y gallu ganddi i felltithio ac achosi anffawd ar bobl. Byddai pobl yn cymryd sylw mawr o'r hyn a ddywedai. Un tro, cynghorodd Nell wraig a oedd yn torri coed i fod yn ofalus o'i bysedd. O fewn munud iddi ynganu'r geiriau roedd y wraig wedi torri ei bysedd hyd at yr esgyrn. Ar achlysur arall cynghorodd Nell ferch a oedd yn sefyll ger ffynnon i fod yn ofalus o'i brawd rhag ofn iddo foddi yn y ffynnon. Cyn gynted ag yr oedd Nell o'r golwg, disgynnodd y bachgen i lawr y ffynnon a boddi. Arferai Nell fynd o amgylch tai'r ardal yn cardota am lefrith gyda bwced, a byddai pobl yr ardal yn rhoi bara a chaws iddi rhag ofn iddi felltithio'r tŷ. Gwrach arall yn ardal Cwm Afan oedd Catti o Dŷ Maen. Ymffrostiai yn y ffaith nad oedd yr un ysgyfarnog wedi ei lladd ar ei thir. Un diwrnod fe benderfynodd un heliwr fynd â dryll gydag ef ar yr helfa. Tra oedd y cŵn yn erlid yr ysgyfarnog fe redodd i gyfeiriad tŷ gwair Catti. Penderfynodd yr heliwr saethu at yr ysgyfarnog a llwyddodd i'w tharo wrth iddi redeg i mewn i'r tŷ gwair, a phan ddilynodd yr heliwr yr anifail i'r tŷ gwair, y cyfan a welodd oedd clogyn gwrach ac olion gwaed yn arwain at dŷ Catti. Pan aeth i mewn i'r tŷ fe welodd bod Catti'n wael yn ei gwely gydag anafiadau bwledi.

Cymaint oedd ofn rhai o drigolion y fro o wrachod nes iddynt fynd ati i geisio'u cadw draw o'u tai. Yn Llangynydd yn 1784 ysgrifennodd Leyshon Rogers gyngor i'r trigolion i gadw gwrachod draw:

If you think that you have anything that is witched take some May tree and beat whatever cattle or anything that you think is witched all over first and boil some of the May tree in milk then give two hornfulls for some few days, till the witch comes to say God Bless them. If a witch be coming to the door take a birch broom and put a cross in the door then the witch cannot come into the house till the broom be tuk out of the door.

Dewin a chonsuriwr o ardal Pont-rhyd-y-fen oedd Twm Ifan Prys, a fu byw yn ystod yr unfed ganrif ar bymtheg. Ei lysenw oedd Twm Celwydd Teg oherwydd ei ddychymyg byw a'i allu i ddarogan y dyfodol. Ar un adeg fe ragfynegodd y byddai mab Syr George Herbert yn crogi ei hun ar ddarn o gortyn. O ganlyniad, carcharwyd Twm yng nghastell Cynffig fel cosb am ddarogan y fath beth. O fewn ychydig amser darganfuwyd mab Syr Herbert yn gelain yn ei grud wedi iddo ddal ei hun mewn darn o edafedd a thagu i farwolaeth. Rhyddhawyd Twm o'r carchar pan glywyd y newyddion trist. Ar achlysur arall gofynnodd bachgen ifanc i Twm ddarogan y dyfodol iddo. Mewn ateb dywedodd Twm y byddai'n marw o dair marwolaeth cyn y nos. Chwarddodd y bachgen gan ddweud na allai neb farw dair gwaith. Yn ystod y dydd aeth y bachgen i ben coeden ar lan afon i chwalu nyth barcud, ac wrth iddo roi ei law yn y nyth fe'i brathwyd gan neidr a gariwyd yno gan y barcud. O ganlyniad, collodd y bachgen ei afael a disgyn. Wrth ddisgyn, torrodd ei wddf ar gangen cyn syrthio i'r afon a boddi.

Ceir nifer o straeon ysbrydion sy'n perthyn i'r fro. Mewn un hanes dywedir bod ysbryd yn tarfu ar blasty yng Nghastell-nedd. Arferai ffenestri mewn un ystafell gau heb reswm. Un dydd Sul tra oedd y perchnogion yn yr eglwys penderfynodd un o'r morynion oedd yn newydd yno eistedd yn yr ystafell gyda'r ffenestri ar agor. Ymhen ychydig daeth ysbryd i mewn i'r ystafell ar ffurf bonheddwr. Gofynnodd y forwyn iddo beth oedd yn bod. Atebodd ei fod am iddi ddweud wrth y meistr i godi un o'r cerrig fflags ar lawr y llaethdy ac yno fe fyddai'n darganfod trysor. Os byddai'r meistr yn cymryd yr aur ni fyddai'r ysbryd yn amharu ar y plasty byth eto – a dyna a ddigwyddodd.

Ar achlysur arall twyllwyd gwas fferm gan ysbryd. Llwyddodd yr ysbryd i berswadio'r gwas i fynd gydag ef i chwilio am drysor. Aethai'r gwas gydag ef mor bell â Phontneddfechan a darganfuwyd y trysor mewn ychydig o funudau. Gorfododd yr ysbryd i'r gwas daflu'r arian i mewn i'r afon. Yn ei gyfrwystra cadwodd y gwas un darn arian ac aeth i mewn i dafarn gyfagos. Serch hynny, ni chafodd sbri oherwydd fel yr oedd yn talu am gwrw daeth yr ysbryd i mewn i'r dafarn a'i orfodi i daflu'r darn arian hwnnw i'r afon hefyd.

Roedd rhai ysbrydion wrth gwrs yn gwrthod gadael adeiladau ac yn mynnu aflonyddu'r preswylwyr. Er mwyn gwaredu adeilad o ysbryd roedd yn rhaid galw am wasanaeth arbenigwr – gweinidog yr Efengyl fel arfer. Dyn o'r fath oedd Benjamin Williams, saer coed a gwneuthurwr ffidil. Galwyd arno i waredu ysbryd o Fferm Penhydd, Pont-rhyd-y-fen. Er mwyn gwaredu'r ysbryd bu raid iddo ganu'r ffidil yn yr un man am dair noson yn olynol. Roedd yn rhaid creu'r ffidil o bren y gerddinen a'i pheintio â farnis oedd wedi'i gymysgu â gwaed draig. Galwyd am wasanaeth y Parch. John Williams i waredu ysbryd o dŷ Glebe House yng Ngŵyr. Credid mai ysbryd cyn-berchennog y tŷ oedd yma; arferai deithio'r ardal yn gwerthu menyn, llefrith a chaws. Yn ôl y sôn, credid i'r cyn-berchennog gael ei gondemnio i gerdded o gwmpas y tŷ'n galw *'weights and measures, weights and measures'*. Am ddau ddiwrnod a dwy noson bu'r Parch. John Williams mewn ystafell gloëdig gyda'r ysbryd yn siarad Lladin gydag ef ac yn defnyddio chwip i geisio'i reoli. Dywedir iddo drechu'r ysbryd gan ei orfodi i fynd i adeiladu rhaffau o dywod yn nhwyni Llanmadog ac aros yno nes iddo gyflawni'r gwaith. Ni ddychwelodd yr ysbryd i amharu ar y tŷ wedyn.

Dywedir bod y Ladi Wen i'w gweld o gwmpas Plasty Bishopston, Gŵyr. Arferai daflu platiau o gwmpas yr adeilad a sgrechian yn uchel. Yn dilyn cyngor sipsi lleol galwyd am ddeuddeg gweinidog i fynd i'r plasty a gosodwyd tasg i'r Ladi Wen. Gosodwyd deuddeg cannwyll a deuddeg cloch ar y bwrdd. Y dasg oedd ceisio diffodd y canhwyllau a chanu'r deuddeg cloch cyn i'r cloc orffen taro deuddeg am hanner nos. Os llwyddai yn y dasg, yna ni fyddai'n bosib ei gwaredu o'r plasty; os methai, byddai'r gweinidogion yn gosod tasg ddibwrpas iddi i'w chadw draw. Methiant fu ei hymgais i ddiffodd y canhwyllau ac i ganu'r clychau, ac fe'i condemniwyd i geisio adeiladu castell tywod a fyddai'n medru gwrthsefyll grym y môr ar draeth Caswell am dri diwrnod a thair noson. Er mwyn

sicrhau na fyddai'r ysbryd yn dychwelyd adeiladwyd wal o frics dros fynedfa'r ystafell.

Credir bod Ladi Wen hefyd yn crwydro o gwmpas waliau Castell Ystumllwynarth ger y Mwmbwls. Mae'r rhai sydd wedi'i gweld yn dweud ei bod yn gwisgo gwisg sydd wedi rhwygo yn y cefn i ddatgelu clwyfau gwaedlyd. Honnai rhai mai ysbryd merch a gafodd ei chwipio i farwolaeth wrth bostyn chwipio'r castell yw hi. Dywed eraill bod y wraig yn diflannu drwy wal y castell.

Yn ôl yr hanes gellir gweld ysbryd coets fawr yn cael ei thynnu gan bedwar ceffyl llwyd ar draeth Rhosili, Gŵyr. Ynddi, gwelir un person, a honnir mai ysbryd Mansel o Henllys ydyw. Hwn oedd y cyntaf i gyrraedd llongddrylliad llong oedd yn cludo aur o Sbaen ar y traeth. Perchennog cyfreithlon y llongddrylliad oedd arglwydd maenor Rhosili, ond fe aeth Mansel ati i lwytho'r aur a'i gludo oddi yno gyda'r goets. Dywedir i Mansel ddiflannu y noson honno ac ni welwyd mohono'n fyw eto. Does neb yn gwybod beth oedd ei dynged ond parheir i weld ei ysbryd ar draeth Rhosili – yn enwedig ar nosweithiau stormus.

Flynyddoedd yn ôl credai pobl mewn creaduriaid arallfydol, gan feddwl eu bod yn hedfan o gwmpas rhaeadrau Pyrddin, Mellte a Hepste. Credent fod y creaduriaid hyn yn cuddio mewn cilfachau yn agos i'r rhaeadrau ac ofnent fentro'n agos i'r safleoedd hyn, rhag ofn i'r bodau ymosod arnynt.

Ar un adeg caed chwedl am eog enfawr a oedd i'w weld yn afon Afan ger pont Aberafan. Dim ond ar fore'r

Nadolig roedd yr eog yn ymddangos, a deuai i fyny at wyneb y dŵr i gael mwythau. Os byddai unrhyw un yn ceisio niweidio neu ladd y pysgodyn, yna fe fyddai cosb ddwyfol i ddilyn. Caed cred debyg am eog yn afon Nedd a oedd yn neidio'r rhaeadrau ar ddydd Nadolig er mwyn cyrraedd y Pwll Glas ym Mhorth Mawr, Ystradfellte.

Ymysg chwedlau'r fro mae hanes ffiniau Margam. Dywedir bod carw wedi ei ollwng yn rhydd yn Morfa Mawr a bod cŵn wedi eu rhyddhau i'w hela. Fe fyddai llwybr y carw wedyn yn penderfynu'r ffin rhwng plwyfi Margam a Llangynwyd. Aeth yr helfa yn ei blaen dros y mynyddoedd nes cyrraedd afon Afan ger Pont-rhyd-y-fen lle lladdwyd y carw gan fwyellwr. Disgynnodd y carw i'r afon yn farw a rhedodd yr afon yn goch gan waed. O hynny ymlaen bu'r afon o'i tharddiad i'w haber y tu fewn i ffiniau plwyf Margam.

Adar

Ceir digon o safleoedd yn y fro i ddenu gwylwyr adar. Mae amrywiaeth o'r cynefinoedd sydd i'w cael yn golygu bod amrediad eang o rywogaethau wedi eu cofnodi yn yr ardal. Mae'r clogwyni, corsydd, afonydd aberoedd, ucheldir, rhostiroedd, cymoedd coediog, coedwigoedd, perthi a thiroedd amaethyddol i gyd yn cyfrannu at y clytwaith o gynefinoedd denu adar. Cofnodwyd dros 280 o wahanol rywogaethau yn ardal cofnodi Gorllewin Morgannwg. Tasg anodd iawn yw llunio rhestr gyflawn o safleoedd gwylio adar y fro gan fod yr amrywiaeth yn newid o dymor i dymor yn dibynnu ar y cynefin. Dim ond rhagflas o wahanol gynefinoedd a'r amrywiaeth o rywogaethau y gellir ei roi, ac mae'n werth i'r gwyliwr adar brwd ddarllen arweinlyfr penodol yn y maes a'r ardal i gael darlun cyflawn o'r hyn sydd gan y rhanbarth i'w gynnig (gweler hefyd yr adran ar barciau, gerddi ac ardaloedd o ddiddordeb naturiol).

Traeth Dulais (Blackpill), Abertawe
Mae'r safle yma wedi ei leoli rhwng dociau Abertawe a Mwmbwls ac mae'n cynnwys traeth tywod sy'n ymestyn am bedair milltir. Gellir ei gyrraedd yn hwylus o'r A4067. Dyma'r fan lle mae afon Clun yn cyrraedd y môr, ac mae'n denu rhydyddion, hwyaid a gwylanod. Yn ystod y gaeaf gellir gweld hyd at 1,000 o biod y môr *(Haematopus ostralegus)* a cwtiaid torchog *(Charadrius hiaticula)* yno. Mae'r draethell hefyd yn safle pwysig ar gyfer pibydd y tywod *(Calidris alba)*, a gellir gweld hyd at 500 ohonynt yn ystod y cyfnod mudo yn yr hydref. Bydd y cwtiad llwyd *(Pluvialis squatarola)* a'r rhostog gynffonddu *(Limosa limosa)* i'w gweld yma drwy'r gaeaf, ac mae'n beth cyffredin i weld yr wylan fechan *(Larus minutus)* ynghyd â niferoedd sylweddol o wylanod y penwaig *(Larus argentatus)* yma. Mae'r safle'n adnabyddus yn rhyngwladol fel man i weld gwylan fodrwybig *(Larus delawarensis)*, gan mai yma yn 1973 y cofnodwyd y rhywogaeth gyntaf ohoni ym Mhrydain. Erbyn heddiw gellir ei gweld drwy gydol y flwyddyn – yn enwedig yn ystod y cyfnod rhwng mis Rhagfyr a Chwefror. Ymysg yr ymwelwyr mwyaf anghyffredin gellir disgwyl gweld trochydd mawr *(Gavia immer)*, hwyaden gynffon hir *(Clangula hyemalis)*, pibydd coesgoch mannog *(Tringa erythropus)*, sgiwen y gogledd *(Stercorarius parasiticus)* a gwylan môr y canoldir *(Larus melanocephalus)*.

Broad Pool, Cilibion, Gŵyr
Mae'r pwll bach yma wedi ei leoli'n agos i'r ffordd sy'n arwain o Reynoldston i Cilibion dros Cefn Bryn. Hon oedd gwarchodfa gyntaf Ymddiriedolaeth Natur Morgannwg, a sicrhaodd y safle yn 1962. Mae'r pwll ar dir comin ac mae hawl i'r cyhoedd ymweld â'r safle'n ddirwystr ond mae'n bosib gwylio'r adar o'ch car a allai fod yn guddfan hwylus – yn enwedig yn ystod y gaeaf mewn tywydd oer. Ymysg yr adar y gellir eu gweld mae cornchwiglen *(Vanellus vanellus)*, gïach cyffredin *(Gallinago gallinago)*, gylfinir *(Numenius arquata)* a'r pibydd coesgoch *(Tringa totanus)*. Yn y gaeaf os ydych yn lwcus, gallwch weld elyrch Bewick *(Cygnus columbianus)*.

Pen-clawdd

Mae ffordd gyfleus yn ymylu'r morfa yma, a gellir gwylio adar yn hwylus oddi arni. O deulu'r hwyaid, yr hwyaden lostfain *(Anas acuta)* sydd fwyaf niferus gyda hyd at 1,000 yn cynefino yno. Gellir gweld piod môr *(Haematropus ostrelagus)* a rhostog gynffonddu *(Limosa limosa)* yno yn ystod yr hydref. Yn achlysurol gwelir heidiau o bibydd coesgoch mannog *(Tringa erythropus)* a phibydd coeswerdd *(Tringa nebularia)*.

Trwyn Chwitffordd

Mae rhan o'r ardal yma'n eiddo i'r Ymddiriedolaeth Genedlaethol. Mae gan Gymdeithas Adaryddol Gŵyr ac Ymddiriedolaeth Natur Morgannwg guddfannau yn yr ardal sydd yn eich galluogi i wylio adar yn hwylus, ond mae'n ofynnol trefnu ymlaen llaw i ddefnyddio'r cuddfannau hyn. Trwyn Chwitffordd yw un o'r safleoedd gorau i wylio gwyachod a throchyddion yn ystod y gaeaf. Mae'r ardal hefyd yn gartref i haid sylweddol o'r hwyaden fwythblu *(Somateria mollissima)* gydag oddeutu 100 ohonynt yn ymgartrefu yno. Defnyddia sawl math o rydyddion yr ardal i orffwyso – yn enwedig pan fo'r llanw'n uchel, a gellir gweld heidiau o biod y môr *(Haematropus ostrelagus)* – hyd at 10,000 ohonynt ar rai adegau, yn ogystal â phibydd yr aber *(Calidris canutus)* a phibydd y mawn *(Calidris alpina)*.

Cronfa Eglwys Nunydd, Margam

Hwn yw llain dŵr ffres mwya'r ardal, sydd ag arwynebedd o oddeutu 200 erw. Ffurfiwyd y llyn er mwyn cyflenwi dŵr ar gyfer y gwaith dur cyfagos. Er bod iddo arwynebedd mawr, dim ond rhyw 14 troedfedd yw ei ddyfnder ar gyfartaledd. Mae'r safle'n fan hamddena, ac yn addas ar gyfer hwylio a physgota yn ogystal â bod yn safle gwych ar gyfer gwylio adar, wrth iddo fod yn gartref i boblogaeth dda o hwyaid yn ystod y gaeaf. Y rhai sydd i'w gweld yno amlaf yw'r hwyaden gopog *(Aythya fuligula)*, hwyaden bengoch *(Aythya ferina)*, corhwyaden *(Anas crecca)*, chwiwell *(Anas penelope)*, hwyaden wyllt *(Anas platyrhynchos)* a phoblogaeth dda o gwtiar *(Fulica atra)*. Ymysg yr ymwelwyr llai cyffredin mae'n bosib gweld aderyn y bwn *(Botaurus stellaris)*, llwybig *(Platalea leucorodia)* a chorswennol adeinwen *(Chlidonias leucopterus)*. Yn ystod yr hydref mae'r safle'n lle pwysig ar gyfer heidiau o'r wennol *(Hirundo rustica)*, gwennol ddu *(Apus apus)* a gwennol y bondo *(Riparia riparia)* a gwelir rhai miloedd yn heidio o gwmpas y gronfa cyn iddynt ddechrau ymfudo tua'r de.

Pwll Cynffig, Cynffig

Dyma'r llyn naturiol mwyaf yn yr ardal; mae iddo arwynebedd o 70 erw. Gellir cyrraedd y safle'n hawdd a cheir maes parcio gerllaw. Mae'r pwll ar ei orau yn ystod y gaeaf pan welir niferoedd mawr o hwyaid yno. Ymysg yr ymwelwyr gellir gweld cwtiar *(Fulica atra)* (hyd at bedwar cant ohonynt ar rai adegau), chwiwell *(Anas penelope)*, corhwyaden *(Anas crecca)*, hwyaden lwyd *(Anas strepera)* ac alarch y gogledd *(Cygnus cygnus)*. Mae'r llyn hefyd yn adnabyddus am ddenu ymwelwyr prin o Ogledd America gan gynnwys gwyach ylfinfraith *(Podilymbus podiceps)*, môr-hwyaden yr ewyn

(Melanitta perspicillata) a gwylan Boneparte *(Larus philadelphia)*.

Oxwich, Gŵyr

Yma ceir Gwarchodfa Natur 542 erw sy'n cynnwys nifer o gynefinoedd gan gynnwys coedwig gymysg, corsydd, lagynau dŵr ffres a dŵr môr, twyni tywod a thraeth. Cyfyngir ar fynedfa i rai rhannau o'r warchodfa, ac mae'n rhaid cael trwydded i fentro i'r llefydd mwyaf sensitif. Gellir gweld nifer dda o adar wrth gerdded ar hyd y llwybrau pwrpasol drwy'r corstir neu ddringo i un o'r amryw guddfannau ar y warchodfa. Mae'n werth ymweld â'r warchodfa'n gynnar yn y bore yn ystod yr haf gan fod yr ardal yn brysur iawn. Rhai o'r adar y gellir eu gweld yw telor y cyrs *(Acrocephalus scirpaceus)*, telor yr hesg *(Acrocephalus schoenobaenus)*, bras y cyrs *(Emberiza schoeniclus)* crëyr glas *(Ardea cinerea)* a hwyaden lydanbig *(Anas clypeata)*, ac ymysg y rhai mwyaf anghyffredin mae'r bod y gwerni *(Circus aeruginosus)* a'r titw barfog *(Panurus biarmicus)*.

Cwm Clydach, Clydach

Gwarchodfa sy'n eiddo i'r Gymdeithas Frenhinol er Gwarchod Adar a geir yn y fan hyn, ac mae iddi warden llawn ynghyd â chymorth gwirfoddolwyr sy'n gyfrifol am gynnal a chadw'r ardal. Ymestynna'r warchodfa 215 erw i fyny'r cwm ar hen safle gwaith glo. Mae'n esiampl dda o sut y gellir troi tir a fu gynt dan ddiwydiant i fod yn noddfa i fyd natur. Cynefin i rywogaethau'r goedwig a geir yma'n bennaf ac mae'r coed yn llawn o adar mân – yn enwedig yn ystod y gwanwyn. Ymysg y rhywogaethau gellir gweld titw tomos las *(Parus caeruleus)*, titw mawr *(Parus major)*, titw penddu *(Parus ater)*, gwybedog brith *(Ficedula hypoleuca)* cnocell fraith leiaf *(Dendrocopos minor)*, cnocell fraith fwyaf *(Dendrocopos major)* ac ar hyd yr afon, bronwen y dŵr *(Cinclus cinclus)* a glas y dorlan *(Alcedo atthis)*.

Pen y Pyrhod (Worm's Head), Gŵyr

Safle i wylio adar y môr yn bennaf yw hwn. Rhaid bod yn ofalus wrth fentro i'r safle hwn gan fod y llanw'n gorchuddio'r sarn sydd rhwng y penrhyn a'r tir mawr. Dylid amseru'ch ymweliad i gyd-fynd â'r trai. Os oes unrhyw amheuaeth gennych, dylech gael gwybodaeth o amseriad y llanw drwy gysylltu â gwylwyr y glannau. Dyma'r fan lle mae stori fer enwog Dylan Thomas *Who Do you Wish Was With Us* wedi ei lleoli, lle mae'r awdur yn dwyn i gof y noson y treuliodd wedi ei amgylchynu gan y llanw ar y penrhyn, ac ar ben y penrhyn ceir mordwll yn y graig. Er mwyn dychwelyd o'r penrhyn ni ddylid mentro'n ôl lai na thair awr a hanner cyn penllanw. Yma gellir gweld adar y môr ac adar mân y tir, megis mulfran *(Phalacrocorax carbo)*, môr-hwyaden ddu *(Melanitta nigra)*, corhedydd y graig *(Anthus petrosus)*, clochdar y cerrig *(Saxicola torquata)*. Mae siawns dda o weld y frân goesgoch *(Pyrrhocorax pyrrhocorax)* yma hefyd am iddi yn 1991, ddychwelyd i nythu yma am y tro cyntaf mewn canrif.

Anifeiliaid a Mamaliaid

Does dim prinder o anifeiliaid gwyllt yn yr ardal. Er i'r fro fod yn un ddiwydiannol yn y gorffennol, erbyn heddiw mae iddi fesurau i ddiogelu creaduriaid ac adfer cynefinoedd, ac yn sgîl hynny mae nifer o rywogaethau ar gynnydd. Gellir gweld y cadno mewn sawl man, ac nid yw'n anifail anghyffredin hyd yn oed yn y trefi a'r dinasoedd. Mae'r 'cadno trefol' yn sicr ar gynnydd, ac yn aml fe'i gwelir yn agos at dai – yn enwedig ar noson rhoi'r biniau allan. Sgîl effaith y twf sydd wedi bod ym mhoblogaeth y cadno yw eu bod yn achosi llanast a hefyd bod nifer fawr ohonynt yn cael eu lladd ar y ffyrdd. Bu si ar led yn ardal Abertawe bod cadnoid o ardal Bryste a Llundain (lle maent yn bla) yn cael eu rhyddhau yn Abertawe. Cred rhai bod y cadnoid hyn yn llawer mwy dof a diofn ond yn fwy cyfrwys na chadnoid y wlad.

Mae'r mochyn daear i'w weld mewn sawl ardal – yn enwedig lle ceir digonedd o dir agored, a gwelir nifer ohonynt wedi eu lladd gan geir ar hyd ffyrdd y broydd; amcangyfrifir bod oddeutu 100 o foch daear yn cael eu lladd yn flynyddol ar ffyrdd yr ardal. Un pryder sy'n cael ei leisio o ganlyniad i'r cynnydd yn niferoedd y mochyn daear yw eu bod yn lledu'r diciâu. Hyd yma nid oes prawf sicr o hyn. Mae nifer o gymdeithasau yn y broydd yn diogelu'r mochyn daear – yn enwedig rhag ymosodiadau a chreulondeb o du'r rhai sydd yn baetio er gwaetha'r ffaith bod yr anifail yn cael ei ddiogelu gan Ddeddf Diogelu Moch Daear 1992.

Anifail arall sydd ar gynnydd yn yr ardal yw'r dyfrgi. Wrth i afonydd gael eu glanhau ac ansawdd dŵr y nentydd wella, mae niferoedd y dyfrgi ar gynnydd, ond sgîl effaith anffodus y cynnydd hyn yw'r ffaith bod nifer ohonynt yn cael eu lladd ar y ffyrdd. Mae ymdrechion a chynlluniau ar y gweill i sicrhau bod twnelau dyfrgwn yn cael eu hadeiladu islaw ffyrdd yr ardal er mwyn eu galluogi i grwydro o un man i'r llall yn ddiogel. Ceir sawl rhywogaeth o ystlumod yn y broydd hefyd, a cheir amryw o safleoedd sy'n addas iddynt aeafgysgu a magu, megis ogofâu, hen byllau glo a hen adeiladau. Mae'n bosibl gweld ystlumod yn ystod y dydd ar rai adegau – yn enwedig ar hyd glannau'r camlesi lle ceir tyfiant trwchus o goed tal. Mae'r diolch am hyn i'r amryw o grwpiau lleol sy'n gweithio i ddiogelu'r ystlumod ac fe wneir ymdrechion i warchod cynefinoedd.

Does dim prinder o safleoedd i weld y wiwer lwyd. Gan fod y cyhoedd yn bwydo'r gwiwerod mewn sawl ardal, maent mor ddof fel eich bod yn medru eu bwydo â llaw. Serch hynny, rhaid bod yn ofalus wrth wneud hyn, am fod ganddynt frathiad cas iawn. Fel yn hanes y cadno, y mochyn daear a'r dyfrgi mae nifer fawr o wiwerod yn cael eu lladd ar ffyrdd yr ardal.

Traethau, Glan y Môr a Physgota

Gellir dadlau mai yng Ngŵyr y canfyddir rhai o draethau godidocaf Cymru. Maent yn cynnig rhywbeth i bawb. Ceir rhai traethau sy'n addas ar gyfer teuluoedd, lle mae'n ddiogel i nofio yn y dŵr, tra bo eraill yn cynnig llonyddwch a golygfeydd godidog ond sy'n medru bod yn beryglus. Er mor brydferth yw'r arfordir, gellir gweld nifer fawr o longau sydd wedi eu trechu a'u suddo o ganlyniad i rym y môr; o gwmpas arfordir Gŵyr collwyd hyd at ddau gant a hanner o fadau. Efallai mai'r olion llong enwocaf yw sgerbwd y 'Helvetia' sydd i'w gweld hyd heddiw ar draeth Rhosili pan fo'r llanw ar drai. Suddwyd hon ar y cyntaf o Dachwedd, 1887. Dyma fanylion rhai o'r badau eraill a gollwyd yn yr ardal rhwng Ogof Pafiland a Bae Oxwich:

Shepton Mallet 1731, Surprise 1883, Bluebell 1913, Jenny 1875, Epidauro 1913, Anemone 1867, Roche Castle 1937, Hazard 1872, Peri 1864, Nanset 1918, Cresswell 1881, Happy Return 1879, Rene 1886, Milan 1888, Mercur 1879, Ben Blanche 1933, Tivyside 1900, Xanthippe 1886, Mary Jones 1849, Francis & Ann 1865, Duisberg 1899, Sofia 1879, Eldonpark 1940, Prophet Elie 1887, Glenravil Miner 1894, Carew Castle 1929, Antonio Luca 1872.

Mae'r rhestr yma'n cynnwys enwau'r llongau oedd yn cludo nwyddau megis glo yn ogystal â'r llongau tramor a gludai nwyddau i'w hallforio i bedwar ban byd. Dangosa'r rhestr yn glir pa mor bwysig oedd yr ardal ym myd diwydiant a busnes yn ogystal â maint y colledion a ddaeth yn sgîl y datblygiad a'r cynnydd a fu yn nhrafnidiaeth ar y môr.

Mae'r cyfoeth eang o fywyd gwyllt sydd i'w ganfod ar lan y môr yn cynnwys gwymon, cregyn a chreaduriaid y traeth. Bu rhai diwydiannau a chymunedau'n ddibynnol ar y môr am gynhaliaeth – mae'r diwydiant hel cocos yn bodoli ers canrifoedd – ac yn dal i fodoli – yn enwedig o gwmpas ardal Pen-clawdd. Nid yw'r diwydiant mor llewyrchus ag y bu, a hynny oherwydd y rheolau diogelwch bwyd sy'n llawer mwy caeth erbyn hyn a hefyd afiechydon yn y dŵr sydd yn effeithio ar ansawdd y cregyn. Bu bri ar gasglu gwymon yn yr ardal er mwyn ei baratoi i wneud bara lawr. Dyma un o ddanteithion pennaf Abertawe, ac fe'i gwerthir yn y brif farchnad yng nghanol y ddinas. Gellir prynu bara lawr ar ei ben ei hun neu wedi'i gymysgu â cheirch sy'n rhoi blas tipyn cryfach iddo, a dylai pob ymwelwr â'r ardal flasu bara lawr o leiaf unwaith. Mae'n bosib casglu'r gwymon ar hyd y traethau lleol ar gyfer defnydd personol, ond ar raddfa fasnachol mae cyfanswm uchel o'r gwymon yn cael ei brosesu yn ardal Pen-clawdd. Ar un adeg bu'n rhaid mewnforio bara lawr o'r Alban – yn enwedig ar ôl cyfnod o dywydd garw a achosodd brinder gwymon yn lleol.

Bu Gŵyr ar un adeg yn ardal lewyrchus ar gyfer dal cranc a chimwch. Arferid eu pysgota – yn enwedig o'r arfordir creigiog sy'n cwmpasu Gŵyr, a byddai pob pysgotwr yn cadw at ardal benodol. Erbyn heddiw, nid yw'r diwydiant hwn mor llewyrchus ag y bu ychwaith gydag ansawdd y dŵr a gor-bysgota yn cael y bai am y gostyngiad yn nifer y creaduriaid sy'n cael eu dal. Mae arfordir y broydd hefyd yn ddelfrydol ar gyfer pysgota môr, boed hynny oddi ar y creigiau, y traethau neu'r amryw o forgloddiau a phierau a geir yn yr ardaloedd hyn. Gellir dal amrywiaeth eang o bysgod gan gynnwys cathod môr, morgathod pigog, lledod brych, lledod mwd a phenfras, a daw mecryll yn agos i'r arfordir yn ystod misoedd yr haf. Yn ystod yr haf hefyd mae'n bosib pysgota am fingryniaid o gwmpas yr aberoedd, y dociau a'r porthladdoedd. Mae digonedd o forgwn i'w dal o gwmpas yr arfordir drwy gydol y flwyddyn tra gellir llogi cwch i fynd allan i ddal aelodau o deulu'r siarc yn ystod misoedd yr haf. Gellir casglu abwyd ar gyfer pysgota oddi ar amryw o draethau'r ardal; ceir tyllu am siani garpiog a lygwn ac mae'n bosib canfod y cranc meddal ymysg y creigiau.

Enw'r traeth	Natur y traeth	Parcio	Mynediad	Mynediad i'r anabl	Toiledau	Ffôn	Lluniaeth	Chwaraeon dŵr
Bae Abertawe	Tywod	Talu ac arddangos	Hawdd	Oes	Oes	Oes	Oes	Oes
Bae Bracelet	Tywod/Gro/Creigiau	Talu ac arddangos	Grisiau	Na	Oes	Oes	Oes	Na
Bae Limeslade	Tywod/Cerrig	Talu ac arddangos	Grisiau	Na	Yn Bae Bracelet	Na	Oes	Na
Bae Langland	Tywod/Cerrig	Talu ac arddangos	Grisiau	Oes	Oes	Oes	Oes	Oes
Bae Caswell	Tywod	Talu ac arddangos	Hawdd	Oes	Oes	Oes	Oes	Oes
Cildraeth Brandi	Tywod/Cerrig/Creigiau	Na	Peth cerdded i gyrraedd y traeth	Na	Na	Na	Na	Na
Traeth Pwll Du	Tywod/Cerrig	Na	Peth cerdded i gyrraedd y traeth	Na	Na	Na	Na	Na
Bae Pobbles	Cerrig/Tywod wedi ei orchuddio ar lanw uchel	Na	Peth cerdded i gyrraedd y traeth	Na	Na	Na	Na	Na
Bae y Tri Chlogwyn	Traeth i'w fwynhau ond dim nofio yma	Na	Llwybrau hir ar droed o'r mannau parcio	Na	Na	Na	Na	Na
Bae Tor	Tywod	Na	Mynediad anodd iawn	Na	Na	Na	Na	Na
Crawley	Traeth tywod rhwng Bae Tor a Bae Oxwich	Na	Mynediad anodd iawn	Na	Na	Na	Na	Na

				Cysylltwch â'r perchennog ymlaen llaw				
Bae Oxwich	Traeth poblogaidd i deuluoedd. Tywod a cherrig. Traeth preifat	Codir tâl gan berchennog y traeth	Hawdd	Oes	Oes	Oes	Oes	Oes
Bae Porth Eynon	Traeth tywod mawr. Poblogaidd yn ystod yr haf	Talu ac arddangos	Hawdd	Na	Oes	Oes	Oes	Oes
Bae Mewslade	Tywod. Traeth diarffordd	Codir tâl preifat	Taith gerdded hir i'w gyrraedd	Na	Na	Na	Na	Na
Bae Rhosili	Traeth mawr wedi ei leoli mewn ardal brydferth	Codir tâl. Maes parcio preifat	Tipyn o gerdded i lawr llwybr serth i'r traeth	Na	Oes	Oes	Oes	Oes
Traeth Llangennydd	Traeth braf. Safle da i syrffio	Codir tâl preifat	Peth cerdded drwy'r twyni tywod	Na	Oes, yn y Maes Pebyll/Carafannau gerllaw	Oes, yn y Maes Pebyll/Carafannau gerllaw	Oes, yn y Maes Pebyll/Carafannau gerllaw	Oes, yn enwedig syrffio
Bae Broughton	Traeth tywod braf, ond dim nofio yma	Codir tâl preifat	Hawdd	Na	Na	Oes	Na	Na
Traeth Chwitffordd	Traeth braf, ond dim nofio yma. Traeth poblogaidd i'r noethlymunwyr	Oes – 'Blwch Gonestrwydd'	Peth cerdded i'r traeth	Na	Na	Na	Na	Na
Traeth Aberafan	Tywod – addas i deuluoedd	Digonedd o safloedd parcio	Hawdd	Oes	Oes	Oes	Oes	Oes

Abertawe, Castell-nedd, Port Talbot, Aberafan

Rhain yw prif drefi a dinasoedd yr ardal, ac mae ganddynt ddigon o atyniadau i ddenu diddordeb yr ymwelwyr.

Abertawe

I'r Llychlynwyr *Sweyn's-ey* neu *Sveins Ey* (Ynys Swein) – heddiw Swansea neu Abertawe, lle mae afon Tawe yn ymuno â'r môr. Mae poblogaeth bresennol Abertawe dros 190,000 ac mae'n ganolfan fasnach, ysgolheictod a dinesig gyda phorthladd a dociau. Ailadeiladwyd canol y dref yn dilyn difrod sylweddol yn ystod y Blitz pan ollyngwyd cannoedd o fomiau gan y Luftwaffe yn ystod 1941. Erbyn heddiw ceir nifer o strydoedd ar gyfer cerddwyr yn unig a chanolfannau siopa dan do. Prif ganolfan siopa'r ddinas yw'r Quadrant a'r farchnad dan do. Mae'r farchnad dan do yn gwerthu nifer fawr o ddanteithion a chynnyrch lleol, ynghyd ag amrywiaeth mawr o bysgod, ac mae'n werth ymweld â hi. Amgylchynir y ddwy ganolfan gan sawl stryd arall ar gyfer siopwyr megis y Kingsway, Stryd y Castell, ffordd y Gorllewin a ffordd Ystumllwynarth. Ymestynna ffordd Ystumllwynarth am oddeutu pum milltir ar hyd arfordir bae Abertawe i gyfeiriad y Mwmbwls a Gŵyr. Erbyn heddiw mae hen erddi'r Castell wedi eu trawsnewid i safle llawer mwy hamddenol gyda grisiau dŵr a phistylloedd dŵr. Mae'r safle'n fwrlwm o weithgaredd yn ystod misoedd yr haf ond gwyliwch allan am yr ieuenctid sy'n mynnu arddangos eu campau ar eu sglefr-fyrddau a'u beiciau mynydd! Erbyn heddiw mae Wind Street, a arferai fod yn ganolfan i nifer o fusnesau – wedi'i thrawsnewid i fod yn ganolbwynt i nifer fawr o dafarnau a thai bwyta. Mae'r ardal yma'n hynod o boblogaidd ar nos Wener a nos Sadwrn – yn enwedig gyda phobl ganol oed tra bo'r criw ifanc yn tueddu i gadw at y tafarnau a chlybiau mwy traddodiadol ar hyd y Kingsway.

Yr Ardal Forwrol

Erbyn heddiw mae'r ardal sy'n cwmpasu rhai o'r hen ddociau wedi cael ei thrawsnewid i fod yn farina, ble gwelir fflatiau crand a thai bwyta drudfawr. Ceir dwy amgueddfa a sawl nodwedd yno sy'n eich atgoffa o gysylltiad Dylan Thomas â'r ddinas gyda cherflun efydd trawiadol o'r bardd mewn sgwâr ger yr amgueddfa forwrol. O fewn tafliad carreg mae Amgueddfa Abertawe – amgueddfa hynaf Cymru a sylfaenwyd yn 1834/35 ac a ddisgrifiwyd gan Dylan Thomas fel 'amgueddfa a ddylai fod mewn amgueddfa'. Mae'n cynnwys nifer o bethau o ddiddordeb gan gynnwys darganfyddiadau archeolegol, casgliadau byd natur ac esiamplau o grochenwaith Abertawe a Nantgarw. Mae cynlluniau ar y gweill i agor amgueddfa llawer mwy erbyn 2005. O fewn cyrraedd i'r Amgueddfa ceir Tŷ Llên, sydd yn canolbwyntio ar waith Dylan Thomas a cheir arddangosfeydd o waith arlunwyr a chrefftwyr. Ceir theatr, siop lyfrau, bwyty a bar yno hefyd. Draw ym Mharc Tawe gellir canfod canolfan Plantasia sy'n cynnwys casgliad o oddeutu wyth gant o blanhigion o bedwar ban byd, pysgod trofannol, amffibiaid, pili-palod, adar a mwncïod. Mae'r ganolfan yn cael ei rheoli'n hinsoddol ac o'r tu allan ymdebyga'r adeilad i byramid gwydr.

Ymestynna Ffordd Ystumllwynarth i gyfeiriad y gorllewin o ganol y ddinas. Ar hyd y ffordd yma ceir Pafiliwn Patti sy'n ganolfan ble llwyfennir nifer o gyngherddau yn ogystal â Gŵyl Gwrw Abertawe. Y tu ôl i'r Pafiliwn ceir Neuadd y Ddinas a adeiladwyd gan Syr Percy Thomas yn 1934, ac mae iddi dŵr cloc trawiadol. Yma hefyd canfyddir Neuadd y Brangwyn; mae'r lle'n gartref i banelau Yr Ymerodraeth Brydeinig a beintiwyd gan Syr Frank Brangwyn. Ymlaen ar hyd y ffordd ym Mharc Singleton gellir gweld Abaty Singleton a oedd ar un adeg yn gartref i Arglwydd Abertawe. Gerllaw, gwelir adeiladau Coleg Prifysgol Cymru, Abertawe. Sefydlwyd y Brifysgol yn 1920, ac erbyn heddiw mae'n safle academaidd ar gyfer oddeutu 8,600 o fyfyrwyr. Mae ardal y Mwmbwls yn lle poblogaidd iawn ymysg y myfyrwyr – yn enwedig ar benwythnosau; mae'n gallu bod yn fywiog iawn yno pan fônt yn ceisio cyflawni 'Milltir Mwmbwls' sef cael peint o gwrw ymhob un o'r un ar ddeg tafarn sydd yn yr ardal. Bydd y rhai sy'n cyflawni'r orchest yn derbyn crys T!

Yng nghanol y ddinas mae Tŷ Tawe sef Clwb Cymraeg sydd hefyd yn cynnwys siop sy'n gwerthu dewis eang o lyfrau a nwyddau Cymraeg. Mae siop lyfrau Waterstones hefyd yn cadw dewis da o lyfrau Cymraeg ynghyd â rhai sy'n ymwneud â Chymru. Os am brynu llyfrau ail-law mae'n werth ymweld â Dylan's Bookshop yn y Salubrious Passage; ceir dewis eang a chynhwysfawr yno sy'n seiliedig ar Gymru a materion Cymreig.

Adloniant

Nid oes prinder adloniant o bob math yn Abertawe – ceir tafarnau, clybiau nos, theatrau, bwytai a meysydd chwaraeon. Mae'r ddinas yn gartref i dîm pêl-droed yr 'Elyrch' a thîm rygbi'r 'Gwynion'.

Gwybodaeth ar Gyfer Ymwelwyr Hoyw a Lesbiaidd

Ceir llinell wybodaeth arbennig ar gyfer Abertawe (01792) 480044, ac mae sawl clwb yn darparu adloniant.

Gwybodaeth ar gyfer yr Anabl

Mae Shopmobility Abertawe yn darparu cadeiriau olwyn a scwteri trydan i'r rhai sydd yn dymuno siopa yng nghanol y ddinas. Gellir cysylltu â hwy ar (01792) 461785

Castell-nedd

Mae gan Castell-nedd hanes hir o ddatblygiadau diwydiannol sy'n dyddio o 1584 pan sefydlwyd y gwaith copr cyntaf yno yn 1584. Datblygodd y dref o gwmpas y castell a adeiladwyd gan Richard de Granville yn 1130, ond mae sylfeini'r dref yn dyddio'n ôl ymhell cyn hyn. Cyrhaeddodd y Rhufeiniaid yr ardal rhwng 120 OC a 125 OC a sefydlu anheddau yno; mae olion ohonynt i'w gweld hyd heddiw. Daw'r enw Castell-nedd/Neath o'r enw Rhufeinig Nidum. Yn ystod y blynyddoedd diweddar mae olion cynhanesyddol yn parhau i gael eu darganfod yn yr ardal. Ceir casgliad eang o hen bethau Rhufeinig yn Amgueddfa Castell-nedd ynghyd â model maint llawn o filwr Rhufeinig o'r enw Sebastian sy'n disgrifio bywyd y cyfnod Rhufeinig i ymwelwyr. Mae gan yr amgueddfa arddangosfa wych o fyd natur lleol yn ogystal. Cynhelir nifer o arddangosfeydd eraill ar wahanol themâu drwy gydol y flwyddyn. Ceir yma hefyd gasgliad o luniau, peintiadau a ffotograffau o dreftadaeth yr ardal. Lleolir yr amgueddfa o fewn adeilad Neuadd Gwyn (a gafodd yr enw am i'r adeilad gael ei godi ar safle perllan Tŷ Mawr ar ddiwedd y ddeunawfed ganrif). Howel Gwyn, gwleidydd a thirfeddiannwr lleol a roddodd y tir ar gyfer yr adeiladu. Defnyddiwyd yr adeilad hyd at y 1960au fel Canolfan Ddinesig.

Mae nifer o olion cynhanesyddol eraill yn yr ardal gan gynnwys gwersyll gorymdeithio Rhufeinig (y mwyaf o'i fath yng Nghymru) i'w canfod uwchben Tonna. Gerllaw hefyd mae adfeilion Abaty Nedd a ddisgrifiwyd gan yr hanesydd John Leland fel 'yr Abaty tecaf yng Nghymru gyfan'. Sefydlwyd yr Abaty yn 1130 yn wreiddiol ar gyfer mynachod Savigny yn Ffrainc, ond erbyn 1147 roedd yr adeilad dan ofal Urdd y Sistersiaid. Bu'r Abaty'n un llewyrchus iawn a oedd yn masnachu gwlân yn bennaf – roedd yn berchen ar 5,000 o ddefaid yn 1291. Gyda datgorffori'r mynachlogydd diddymwyd yr Abaty yn 1539, ac ar ôl cyfnod hir o ddirywiad gwerthwyd yr adeilad i deulu Dinefwr. O 1731 defnyddiwyd y safle ar gyfer mwyndoddi copr ac yn ddiweddarach bu ffowndri haearn ar y safle. Dyma sut y disgrifiodd George Borrow y safle:

Somewhat to the south rose immense stacks of chimneys surrounded by grimy diabolical-looking buildings, in the neighbourhood of which were huge heaps of cinders and black rubbish . . . From the pandemonium . . . upon a green meadow, stood, looking darkley grey, a ruin of vast size with window holes, towers, spires and arches. Between it and the accursed pandemonium lay a horrid filthy place, part of which was swamp and part pool . . . Across this place of filth stretched a tramway leading seemingly from abominable mansions to the ruin. So strange a scene I had never beheld in nature.

Pregethodd Howel Harris i gynulleidfa o oddeutu deng mil yno yn 1769. Erbyn heddiw, mae'r Abaty dan ofal CADW.

Nodwedd amlwg arall o dref Castell-nedd yw Eglwys Dewi Sant a'r tŵr nodedig a adeiladwyd yn 1866 sy'n edrych dros erddi Fictoria. Bellach, mae'r rhan fwyaf o ardal siopa'r dref wedi ei datblygu ar gyfer cerddwyr yn unig. Prif nodwedd yr ardal siopa yw'r farchnad dan do Fictoraidd a adeiladwyd yn 1837. Yno, ceir dewis eang o nwyddau sydd wedi eu cynhyrchu'n lleol, sydd yn ei gwneud yn boblogaidd gyda'r bobl leol ac ymwelwyr. Mae cenedlaethau o deuluoedd yn dal i redeg nifer o'r stondinau. Ar wahân i'r ardal siopa mae sgwâr yr Eglwys yn cynnwys Eglwys hynafol Thomas Sant a rhai o adeiladau mwyaf hynafol Castell-nedd.

Cynhelir ffair flynyddol Castell-nedd dros bedwar diwrnod yn ystod mis Medi. Mae'r ffair yn dyddio o 1280. Datblygiad diweddar yw'r holl stondinau sy'n gwerthu nwyddau ar y strydoedd, ac yn draddodiadol byddai garddwyr lleol yn mynd yno i brynu bylbiau cennin Pedr.

Port Talbot ac Aberafan

Cysylltir Port Talbot yn bennaf â chynhyrchu dur. Ymestynna'r gweithfeydd dur am oddeutu pedair milltir ar hyd yr arfordir, ac mae'r dref a'r gweithfeydd hyn yn cael eu gwahanu gan yr harbwr. Ar y dechrau, dim ond harbwr bychan oedd yno, ond gyda dyfodiad y chwyldro diwydiannol fe dyfodd, a datblygwyd ardal newydd wrth aber afon Afan. Datblygwyd yr Hen Ddoc yn 1837 ac ymestynnwyd hwn gan Fwrdd Trafnidiaeth a Dociau Prydain yn ystod y 1960au. Gyda chydweithrediad Dur Prydain adeiladwyd morglawdd milltir o hyd i greu harbwr dwfn, ac agorwyd y dociau sydd yno gan y Frenhines yn 1970. Mae'r harbwr yn galluogi'r holl lwythi dur a gynhyrchir yn Ne Cymru, i gael eu hallforio oddi yma. Erbyn heddiw mae'r dref wedi ei hailddatblygu'n sylweddol ar ddwy ochr yr afon. Ar yr ochr ddwyreiniol mae prif ardal siopa agored ar gyfer cerddwyr gydag amrywiaeth eang o siopa. Mae sgwâr dinesig modern ar ochr ddwyreiniol yr afon a'r Ganolfan Ddinesig a adeiladwyd yn 1987. Mae canolfan siopa Aberafan yn cael ei rheoli'n hinsoddol, gyda siopau modern a marchnad draddodiadol ar agor drwy gydol y flwyddyn. Cynhelir marchnad awyr agored sy'n gwerthu amrywiaeth o nwyddau yno ddwy waith yr wythnos.

Calendr o Ddigwyddiadau Blynyddol

Mis Mai
Gŵyl Clun Mewn Blodau, Abertawe
Mis yr Amgueddfeydd ac Orielau, Abertawe
Ffair Hen Geir, Abertawe
Gŵyl Proms yr *Evening Post* i'r Ifanc, Abertawe

Mis Mehefin
Gŵyl Gymunedol Port Talbot
Gŵyl Lenyddiaeth, Pontardawe
Sioe Abertawe
Gŵyl Drafnidiaeth, Abertawe

Mis Gorffennaf
Wythnos Gŵyl Castell-nedd
Sioe Amaethyddol Cwm Tawe, Pontardawe
Carnifal Bwrdd Crwn, Castell-nedd
Gŵyl Margam, Parc Margam
Gŵyl y Môr a Siantis Môr, Abertawe
Gŵyl Foduron yr *Evening Post*, Abertawe
Rali Geir Bae Abertawe
Parti yn y Parc, Parc Singleton, Abertawe
Gwarchae Castell Ystumllwynarth

Mis Awst
Cystadleuaeth Rygbi Saith Bob Ochr Cwm Tawe, Pontardawe
Gŵyl Pontardawe
Sioe Sirol, Parc Margam
Gŵyl Flodau Abertawe

Sioe Gŵyr, Stad Pen-rhys
Gŵyl Forwrol y Mwmbwls
Gŵyl Gwrw y Mwmbwls

Mis Medi
Gŵyl Gocos, Abertawe
Gŵyl Gerdd a'r Celfyddydau, Abertawe
Ffair Castell-nedd

Mis Tachwedd
Rali Geir Network Q
Arddangosfa Tân Gwyllt, Traeth
Aberafan a San Helen, Abertawe

Mis Rhagfyr
Bwydo'r Ceirw, Parc Margam
Marchnad Nadoligaidd,
Dinas Abertawe

Er Gwybodaeth

Sut i gyrraedd y fro

Ffyrdd

Gellir cyrraedd y fro'n hawdd drwy ddilyn yr M4 o gyfeiriad y dwyrain. Mae'r M4 yn cyrraedd o fewn milltir neu ddwy i Bort Talbot, Aberafan, Castell-nedd ac Abertawe. O fewn y fro ceir rhwydwaith da o ffyrdd. Mae Caerdydd oddeutu awr o siwrnai i ffwrdd a Llundain oddeutu tair awr a hanner. Gellir cyrraedd Pont Hafren (y bont newydd) o fewn awr. Mae ffyrdd hwylus hefyd yn mynd o'r fro i gyrraedd gorllewin Cymru ac yna ymlaen i ddal fferi i'r Iwerddon yn Noc Penfro neu Abergwaun.

Trên

Mae'r prif drefi a'r dinasoedd yn gorwedd ar lwybr rheilffordd De Cymru/Llundain. Pen y daith yn Llundain yw Gorsaf Paddington. Am wybodaeth ynglŷn ag amserlenni a thocynnau cysylltwch â'r Rheilffyrdd Cenedlaethol ar 0845 7484950.

Bysiau

Gwasanaethir y rhelyw o'r ardaloedd gan gwmni bysiau First Cymru. Gellir cysylltu â'r cwmni ar 08706 082608. Mae cwmni National Express yn rhedeg gwasanaeth i sawl tref a dinas drwy Gymru a Lloegr. Am fanylion archebu tocynnau ac amserlenni cysylltwch â 08705 808080. Gellir cysylltu â Traveline am wybodaeth am unrhyw wasanaeth drwy Gymru gyfan, a'r rhif yw 08706 082608 (mae'r llinellau ar agor o 07.00 hyd at 21.00 saith niwrnod yr wythnos).

Meysydd Awyr

Maes Awyr Rhyngwladol Caerdydd – 01446 711111
Maes Awyr Rhyngwladol Bryste – 08701 212747
Maes Awyr Abertawe (Awyrennau bychain yn unig) 01792 207550

Fferi

Fferi Abertawe/Corc – 01792 456116
Fferi Iwerddon (Doc Penfro) – 08705 171717
Stena Sealink (Abergwaun) – 08705 707070

Ysbytai

Ysbyty Treforys – 01792 702222
Ysbyty Singleton – 01792 205666

Gwasanaeth Ambiwlans

Pencadlys y Gwasanaeth Ambiwlans – 01792 562900

Gwasanaeth Tân

Gorsaf Dân Castell-nedd – 01639 639107
Gorsaf Dân Pontardawe – 01792 862165
Gorsaf Dân Treforys – 01792 310919
Canolfan Reoli y De, Castell-nedd, Port Talbot ac Abertawe – 01639 643527
Mewn argyfwng deialwch 999

Gorsafoedd Heddlu

Gorsaf Castell-nedd – 01639 635321
Gorsaf Heddlu Pontardawe – 01792 562757
Gorsaf Heddlu Treforys – 01792 771294
Gorsaf Heddlu Abertawe – 01792 456999
Mewn argyfwng deialwch 999

Gwasanaethau Eraill

Trydan
SWALEC 08000 520400 (Rhif ar gyfer nam neu mewn argyfwng)
08000 525252 (Biliau)

Nwy
Transco-Gwasanaeth Argyfwng –
0800 111999

Dŵr
Dŵr Cymru – 08000520130
Llinell Gymorth Genedlaethol –
08457 660130

Atyniadau a Gweithgareddau Hamdden

Cychod a Chanŵau
Camlas Castell-Nedd – 01639 763207
Pyllau Glyncorrwg – 01639 851900
Parc Gwledig Margam – 01639 881635
Clwb Hwylio a Mordeithiau Monkstone
– 01792 812229
Clwb Hwylio Margam, Cronfa Ddŵr Dur
Prydain Eglwys Nunydd –
01639 883442
Cymdeithas Camlesi Castell-nedd a
Thennant – 01792 772776
Cymdeithas Camlas Abertawe –
01639 750556

Mae hefyd yn bosib i chwi fynd â chanŵ i lawr sawl afon yn yr ardal. Ni ddylid mentro gwneud hyn heb fod gennych ddigon o brofiad a gwybodaeth drylwyr o'r afon a'i chyflwr mewn llif. Gofynnir i bobl barchu hawliau tirfeddianwyr ac eraill sy'n defnyddio'r afonydd.

Beicio
Am fanylion am lwybrau beicio a llogi beiciau cysylltwch â:
Canolfan Cefn Gwlad Afan Argoed –
01639 850564
Parc Gwledig Margam – 01639 881635
Canolfan Groeso Castell-Nedd/
Port Talbot – 01639 721795
Canolfan Groeso Abertawe –
01792 468321
Canolfan Groeso Mwmbwls –
01792 361302

Pysgota
Pysgota Afonydd
Afonydd Nedd, Dulais, Tawe ac Afan

Pysgota Bras
Camlesi Castell-Nedd, Tennant,
Cwm Tawe
Parciau Gwledig Y Gnoll, Margam,
Pyllau Glyncorrwg, Cronfa Ddŵr
Eglwys Nunydd
Cronfa Ddŵr Lliw, Felindre
Llyn Fendrod, Parc Busnes a Menter,
Llansamlet
Am ragor o wybodaeth gellir cysylltu â
Cymdeithas Bysgota Castell-Nedd a'r
cylch 01639 701187/634148
Pyllau Glyncorrwg – 01639 851900
Cymdeithas Bysgota Glyn-nedd a'r
cylch – 01639 720927
Parc Gwledig y Gnoll – 01639 635808
Eglwys Nunydd – 01639 881635

Golff
Cwrs Golff Allt-y-Graban (Cwrs 9 twll)
– 01792 885757
Cwrs Golff y Clun (Cwrs 18 twll) –
01792 401989
Cwrs Golff Parc Fairwood
(Cwrs 18 twll) – 01792 297849
Cwrs Golff Gŵyr (Cwrs 18 twll) –
01792 872480

Cwrs Golff inco Clydach (Cwrs 18 twll)
– 01792 841257
Cwrs Golff Bae Langland (Cwrs 18 twll)
– 01792 361721
Cwrs Golff Treforys (Cwrs 18 twll) –
01792 796528
Cwrs Golff Pennard (Cwrs 18 twll) –
01792 233131
Cwrs Golff Dur Prydain, Margam
(Cwrs 9 twll) – 01639 793194
Cwrs Golff Earlswood, Jersey Marine
(Cwrs 18 twll) – 01792 321578
Cwrs Golff Glyn-nedd (Cwrs 18 twll)
– 01639 720452
Cwrs Golff Lakeside, Margam
(Cwrs 18 twll) – 01639 899959
Cwrs Golff Castell-nedd (Cwrs 18 twll)
01639 643615
Cwrs Golff Palleg, Cwm-twrch isaf
(Cwrs 9 twll) – 01639 842193
Cwrs Golff Pontardawe (Cwrs 18 twll)
– 01792 830041
Cwrs Golff Bae Abertawe,
Jersey Marine (Cwrs 18 twll) –
01792 812198

Canolfannau Hamdden/Pyllau Nofio
Canolfan Hamdden Lido'r Afan –
01639 871444
Pwll Nofio Cymuned y Cymer –
01639 852051
Pwll Hamdden Cwm Dulais –
01639 701584
Pwll Nofio Llangatwg – 01639 635013
Canolfan Hamdden Castell-nedd –
01639 642827
Canolfan Chwaraeon Castell-nedd –
01639 635013
Canolfan Hamdden Pontardawe –
01792 830111
Pwll Nofio Pontardawe –
01792 863474
Tonmawr 2000 – 01639 639457

Canolfan Hamdden Cwm Nedd –
01639 720460
Canolfan Hamdden Abertawe –
01792 649126
Pwll Nofio a Chanolfan Hamdden
Penlan – 01792 588079
Pwll Nofio a Chanolfan Hamdden
Penyrheol – 01792 897039

Merlota
Canolfan Wyliau Marchogaeth a
Merlota Cimla – 01639 644944
Stablau Marchogaeth Pant-y-Sais –
01792 816439

**Amgueddfeydd, Orielau a
Chanolfannau y Celfyddydau**
Amgueddfa ac Oriel Castell-nedd –
01639 645726
Amgueddfa Abertawe – 01792 653763
Amgueddfa Forol a Diwydiannol,
Abertawe – 01792 650351
Oriel Gelf Glyn Vivian, Abertawe –
01792 655006
Canolfan Dylan Thomas (yn cynnwys
Tŷ Llên), Abertawe –
01792 463980
Canolfan yr Aifft, Abertawe –
01792 295960
Oriel Mission, Abertawe –
01792 652016
Oriel Ceri Richards, Abertawe –
01792 295526

Canolfan Gelfyddydau, Taliesin –
01792 296883
Amgueddfa Gwaith Glo, Cefn Coed –
01639 750556
Canolfan y Celfyddydau, Pontardawe –
01792 863722

Theatrau a Sinemâu
Lido'r Afan, Aberafan – 01639 763214

Neuadd Gwyn, Castell-nedd –
    01792 863722
Theatr y Dywysoges Frenhinol,
    Port Talbot – 01639 763214
Sinema'r Apollo Aberafan –
    0906 2943456 neu'r llinell
    docynnau – 08704443143
Canolfan y Celfyddydau, Pontardawe –
    01792 863722
Theatr y Grand, Abertawe –
    01792 475715
Theatr Dylan Thomas, Abertawe –
    01792 473238
Theatr Taliesin, Abertawe –
    01792 296883
Neuadd y Brangwyn, Abertawe –
    01792 635489

Llyfryddiaeth a Darllen Pellach

Adran Gynllunio Cyngor Abertawe – *Lower Swansea Valley – Legacy and Future*, Cyngor Dinas Abertawe, Abertawe (1982)

Barber, C. – *Mysterious Wales*, Blorenge Books, Y Fenni (2000)

Barber, C. & Williams, J.G. – *The Ancient Stones of Wales*, Blorenge Books, Y Fenni (1989)

Borrow, George – *Wild Wales*, John Murray, Llundain (1901)

Cymdeithas Gŵyr – *A Guide to Gower*

Davies, J. Henry – *History of Pontardawe From Earliest to Modern Times*, Christopher Davies, Llandybie (1967)

Edwards, Hywel Teifi (Gol.) – *Cwm Tawe*, Gwasg Gomer, Llandysul (1993)

Edwards, Hywel Teifi (Gol.) – *Nedd a Dulais*, Gwasg Gomer, Llandysul (1994)

Evans, T. Valentine – *The History of Clydach*, Clydach (1901)

Farr, M. – *The Secret World of Porth yr Ogof*, Gwasg Gomer, Llandysul (1998)

Gillham, Mary. E. – *Swansea Bay's Green Mantle – Wildlife on an Industrial Coast*, D. Brown a'i Fab, Y Bontfaen (1982)

Green, Amanda – *Family Walks In Gower*, Scarthin Books, Cromford (1993)

Green, Jonathan – *Birds in Wales 1992-2000*, Cymdeithas Adaryddol Cymru, Aberteifi (2002)

Grenfell, H. & Thomas, D.K. – *A Guide to Gower Birds*, Cymdeithas Adaryddol Gŵyr ac Ymddiriedolaeth Natur Morgannwg, Abertawe (1982)

Griffiths, B. – *The Secret and the Sacred Beacons*, Gwasg Carreg Gwalch, Llanrwst (2001)

Gruffydd, Eirlys – *Ysbrydion Gwent a Morgannwg*, Gwasg Carreg Gwalch, Llanrwst (1998)

Gwenallt – *Ffwrneisiau, Cronicl Blynyddoedd Mebyd*, Gwasg Gomer, Llandysul (1982)

Halfpenny, M. – *Fishing The Gower – A Guide to Shore Fishing the Gower Peninsula*, R. & S. Brown, Pontarddulais (2000)

Haneswyr Pontardawe – *Around Pontardawe*, Chalford, Stroud (1996)

Heathcote, A., Griffin, D., Morrey Salmon, H. – *The Birds of Glamorgan*, Brown a'i Fab, Y Bontfaen (1967)

Howell, David. W. – *Nicholas of Glais. The People's Champion*, Cymdeithas Hanes Clydach, Clydach (1991)

Hughes, Wendy – *Prehistoric Sites of The Gower & West Glamorgan*, Logaston Press, Almeley (1999)

James, Christine – *Cerddi Gwenallt. Y Casgliad Cyflawn*, Gwasg Gomer, Llandysul (2001)

Jenkins, N. – *Circular Walks in Gower*, Gwasg Carreg Gwalch, Llanrwst (1998)

Jones, F. – *The Holy Wells of Wales*, Gwasg Prifysgol Cymru, Caerdydd (1992)

Lovegrove, R., Williams, G., & Williams, I. – *Birds in Wales*, Poyser, Llundain (1994)

Main, Lawrence – *Walks in Mysterious Wales*, Sigma Press, Wilmslow (1995)

Mathews, Gethin – *Richard Burton Seren Cymru*, Gwasg Gomer, Llandysul (2002)

Morgan, K.E. – *Around Port Talbot and Aberavon*, Chalford, Stroud (1997)

Owen, T.R. – *Geology Explained in South Wales*, David & Charles, Newton Abbot (1984)

Roberts, Gomer M. – *Crwydro Blaenau Morgannwg*, Christopher Davies, Llandybie (1962)

Roderick, Alan – *The Folklore of Glamorgan*, Village Publishing, Cwmbran (1986)

Rowlands, Dafydd – *Sobers a Fi*, Gwasg Gomer, Llandysul (1995)

Saunders, David – *A Guide to the birds of Wales*, Constable, Llundain (1974)

Saunders, David – *Where to watch birds in Wales*, Helm, Llundain (3ydd arg. 2000)

Sladden, Chris – *The Welsh Rivers – The Complete Guidebook to Canoeing and Kayaking the Rivers of Wales*, Chris Sladden Books, Glasgow (1998)

Smith, Carl – *Gower Coast Shipwrecks*, Sou'wester Books, Abertawe (1993)

Thomas, Dylan – *The Collected Stories*, J.M. Dent & Son, Llundain (1983)

Thomas, Dylan – *The Poems*, J.M. Dent & Son, Llundain (1982)

Thomas, Dylan – *The Collected Letters*, J.M. Dent & Son, Llundain (1985)

Thomas, D.K. – *An Atlas of Breeding Birds in West Glamorgan*, Cymdeithas Adaryddol Gŵyr, Castell-nedd (1992)

Tucker, H.M. – *Gower Gleanings*, Cymdeithas Gŵyr, Abertawe (1951)

Whittle, Elizabeth – *A Guide to Ancient and Historic Wales –Glamorgan and Gwent*, HSMO, Llundain (1992)

Mapiau Defnyddiol

Pathfinder 1106
Pathfinder 1107
Pathfinder 1108
Pathfinder 1126
Pathfinder 1127
Pathfinder 1128
Pathfinder 1145
Pathfinder 1146

Landranger 159
Landranger 170

Explorer 164

Cylchgronau a Phapurau

Llafar Gwlad
Y Llais – Papur Bro Cwm Tawe
Clecs y Cwm – Papur Bro Castell-nedd a'r Cylch
Whilia – Papur Bro Abertawe
Cylchgrawn *Gower* – cyhoeddir yn flynyddol gan Gyfeillion Gŵyr
Llygad y Ffynnon – cylchlythyr Cymdeithas Ffynhonnau Cymru

Mynegai